Amar después de la muerte

Letras Hispánicas

Pedro Calderón de la Barca

Amar después de la muerte

Edición de Erik Coenen

CÁTEDRA

LETRAS HISPÁNICAS

1.ª edición, 2008

Ilustración de cubierta:
Traje de casa de las mujeres moriscas. Siglo XVI. Dibujo de
Christoph Weiditz para el Trachtenbuch, *Libro de vestidos del viaje
en España y los Países Bajos,* 1559. Archivo Anaya

© Ediciones Cátedra (Grupo Anaya, S. A.), 2008
Juan Ignacio Luca de Tena, 15. 28027 Madrid
Depósito legal: M. 15.048-2008
I.S.B.N.: 978-84-376-2465-5
Printed in Spain
Impreso en Huertas I. G., S. A.
Fuenlabrada (Madrid)

Índice

Introducción

Ficción y realidad en «Amar después de la muerte»

El 10 de febrero de 1570, un ejército de doce mil hombres bajo el mando del joven don Juan de Austria conquistó, después de un prolongado asedio[1], la villa granadina de Galera, arrebatándosela a los moriscos que se habían sumado a la sublevación provocada por las duras medidas de aculturación forzosa decretadas por Felipe II. El hermanastro del Rey fue implacable con los galerinos. Luis de Mármol Carvajal, testigo de vista del escalofriante suceso, anotó:

> [...] todos fueron muertos, porque, aunque se rendían, no quiso don Juan de Austria que diesen vida a ninguno; y todas las calles, casas y plazas estaban llenas de cuerpos de moros muertos, que pasaron de dos mil y cuatrocientos hombres de pelea los que perecieron a cuchillo en este día[2].

La villa fue saqueada y, junto con los varones, fueron pasadas por la espada cientos de mujeres, muchas de ellas después de haber sido violadas. Otro comentador contemporáneo, Ginés Pérez de Hita, tuvo que reconocer:

---

[1] En realidad, hubo dos cercos consecutivos, con una brevísima interrupción entremedias. El primero fue iniciado a principios de diciembre de 1569 por el Marqués de los Vélez, quien, indignado ante su relevo por don Juan, levantó el cerco justo antes de la llegada de éste el 19 de enero. El de Austria tardó unas tres semanas largas en conquistar el pequeño lugar.

[2] Luis de Mármol Carvajal, *Historia del rebelión y castigo de los moriscos del Reino de Granada*, VIII, 5. La edición de la BAE ha sido reeditada recientemente por la editorial Arguval (Málaga, 2004), con una introducción de Ángel Galán. Cito en adelante por esta edición.

[...] se usó de tanto rigor y severidad con las mujeres y criaturas que me parece se llevó el estrago mucho más allá de lo que permitía la justicia y era propio de la misericordia de la gente española, que siempre se señaló hasta en favor de los bárbaros; no hubo piedad para ninguno, alcanzando la muerte no sólo a las mujeres, sino también a las criaturas bautizadas[3].

Galera se había alzado a instigación de un joven «capitán» morisco llamado Jerónimo el Maleh. Maleh no se encontraba en Galera durante el asedio, pero si hemos de dar crédito a la versión de los hechos de Ginés Pérez de Hita, sí estaba una hermana suya, una joven bellísima conocida como la Maleha, que murió apuñalada por un aventurero ansioso de apropiarse de sus brazaletes y pendientes de oro, llamado Francisco Garcés. Maleh, que al enterarse de la matanza deseaba saber la suerte de su hermana, solicitó un voluntario para ir en su busca. Se ofreció —todavía según el a veces fantasioso testimonio de Pérez de Hita— un morisco audaz llamado el Tuzaní, que pretendía la mano de la joven morisca. Al encontrarla apuñalada y despojada de sus joyas, juró vengar su muerte. Fingiéndose soldado cristiano, se infiltró en el campo de don Juan, descubrió con astucia la identidad del asesino, lo desafió a duelo y lo hirió de muerte.

Muchos años después, reinando ya Felipe IV, este suceso fue transformado por don Pedro Calderón en un impactante drama de amor, honor, infamia y venganza. Un drama notable, entre otras cosas, por las ráfagas de bellísima poesía que contiene; por la empatía con la que el autor representa el punto de vista de los moriscos de la obra; por su palpable indignación ante determinados excesos demasiado habituales en las acciones bélicas; por la brillante escena que ideó para plasmar la venganza del Tuzaní; y por la habilidad con la que moldea los sentimientos de su público para conseguir un efecto máximo en las escenas de mayor patetismo, en la jor-

---

[3] En su obra *La guerra de los moriscos* (segunda parte de *Las guerras civiles de Granada)*, obra que fue publicada por primera vez en 1619. Cito por la edición de Paula Blanchard-Demouge, reeditada con un estudio preliminar e índices de Joaquín Gil Sanjuán, Granada, Universidad, 1998, pág. 285. Citaré en adelante por esta edición.

nada tercera. La distancia temporal que separa la composición de la obra de los sucesos históricos que la sustentan es mayor que en el caso de, digamos, *El sitio de Bredá*, pero sustancialmente menor que en el de dramas como *La gran Cenobia* o *El segundo Escipión*. El público de Calderón se habrá sentido lo suficientemente alejado de los hechos reales para consentir una dosis considerable de imaginación y distorsión de los mismos, pero no tanto para no percibirlos como casi contemporáneos. En esa medida, el marco real —histórico, geográfico— en que se inserta la acción de *Amar después de la muerte* puede poseer cierta relevancia para su estudio.

Varios personajes de la obra derivan, de alguna manera, de personas reales. La pragmática real que provocó la rebelión fue un hecho histórico, y lo fue también la matanza perpetrada en Galera. Si hemos de creer a Pérez de Hita, fueron asimismo históricas la muerte de Maleha (o Maleca) a manos de Garcés y la consiguiente venganza del Tuzaní. Algunos otros sucesos, no representados pero sí mencionados en la obra —principalmente en el discurso de don Juan de Mendoza al principio de la jornada segunda—, tienen cierta base de realidad. Con todo, hay que subrayar que estos hechos reales aparecen invariablemente distorsionados y mezclados con otros ficticios. Esto, por supuesto, no se debe a una supuesta ignorancia del autor, que conocía tanto la versión novelesca de los hechos de Pérez de Hita como la crónica detallada de Mármol Carvajal, y acaso también el escrito más famoso sobre el tema, la *Guerra de Granada* de Diego Hurtado de Mendoza[4]. Se debe más bien a que Calderón, como dramaturgo, tenía otras prioridades, a las que quedaba supeditada la veracidad de los hechos.

Veamos un ejemplo. Uno de los datos proporcionados en la obra que más se ciñen a la verdad histórica es la pragmática real redactada en 1566 y promulgada el 1 de enero de 1567, cuyos contenidos están bien resumidos —con la curiosa excepción de los que se referían al derecho a tener esclavos, no

---

[4] Véase Erik Coenen, «Las fuentes de *Amar después de la muerte*», en *Revista de Literatura*, LXIX (2007), págs. 467-485.

mencionados— por Malec al principio de la obra (vv. 88-101); también es veraz el secretismo con que los moriscos consiguieron después preparar la sublevación, y al que alude don Juan de Mendoza al principio de la jornada segunda. Ahora bien, sus preparativos abarcaron casi dos años, pero según Mendoza, fueron tres («Tres años tuvo en silencio / esta traición encubierta / tanto número de gentes», vv. 1009-1011). ¿Por qué esta modificación de la realidad? Evidentemente a Calderón le interesaba pasar por alto todo lo sucedido en el campo de batalla durante el primer año de la guerra, simplificando radicalmente los vaivenes militares y saltando directamente al cerco de Galera a principios de 1570. Éste se convierte así, en su versión de los hechos, de derrota clave de los moriscos en la primera e incluso única batalla de toda la guerra. Una falsificación de la historia, a la vez que un acierto dramático.

Un ejemplo muy distinto, acaso intrascendente pero sumamente ilustrativo, es la creación del personaje del corregidor Alonso de Zúñiga. Como representante de la justicia, Zúñiga interviene en la jornada primera, actuando de mediador entre el cristiano viejo don Juan de Mendoza y el dignatario morisco don Juan Malec; más tarde, al principio de la jornada segunda, Mendoza refiere escuetamente su muerte a manos de los moriscos sublevados (v. 1043). En realidad, el corregidor de Granada fue por aquellos años un tal don Juan Rodríguez de Villafuerte y no murió, ni él ni ningún otro corregidor, en la Guerra de Granada; pero cuando en la acción dramática el conflicto pasa de ser un asunto para la justicia a ser una tarea militar, el personaje del corregidor ya no tiene nada que aportar; y es ésta, sin duda, la razón por la cual Calderón prefiere darle por muerto. La muerte de este personaje está, pues, motivada únicamente por razones internas del drama.

De modo análogo, el espacio en el que se desarrolla la acción de *Amar después de la muerte* obedece, más que a. una supuesta pretensión de representar fielmente la geografía granadina, a consideraciones puramente literarias. El centro de gravedad de la rebelión de los moriscos fue la Alpujarra (o «las Alpujarras»), por lo que se la conoce como la (Segunda) Rebelión de las Alpujarras. El hecho es que en la geografía real la villa de Galera se encuentra en la comarca de Huéscar, muy lejos de la Alpujarra, pero Calderón no tiene inconveniente en situarla allí, cerca de Berja (que en realidad es una localidad de la Alpujarra Baja) y de Gabia (lugar que podemos identificar con Gabia Grande y Gabia Chica, que constituyen el municipio de las Gabias en la Vega de Granada). Esta distorsión topográfica responde sin duda a la necesidad de crear un espacio dramático fácil de aprender para el espectador y que permita el rápido traslado de los personajes de un lugar a otro. La elección aparentemente arbitraria de topónimos granadinos —sobre todo la elección de Gabia, localidad totalmente irrelevante para los sucesos históricos— no parece tener más justificación que la oportunidad que brinda de hacer una serie de juegos de palabras. Siendo una «galera» un tipo de navío, y pudiendo ser la voz «berja» entendida como una leve deformación de «verga» ('en la náutica [...] llaman así las varas o palos de las antenas', según el *Diccionario de Autoridades* de 1737), Calderón debió de haber elegido el nombre de Gabia o Gavia por permitir éste una interpretación también náutica, ya que una gavia es 'el cesto o castillejo, tejido de mimbres, que está en lo alto del mástil de la nave' (Covarrubias). En efecto, en varios momentos de la obra se alude al sentido náutico de los tres topónimos. Ya lo hace don Juan Malec en el primer discurso de la comedia, en el que Calderón inserta hábilmente una mención de los tres lugares, sin duda con el fin de familiarizar al público con sus nombres:

> la Alpujarra (aquesa sierra
> que al sol la cerviz levanta,
> y que poblada de villas,
> *es mar de peñas y plantas,*
> adonde sus poblaciones
> *ondas navegan de plata,*
> por quien nombres las pusieron
> de Galera, Berja y Gabia)
> toda es nuestra [...]

(vv. 180-188)

Más tarde, don Juan de Mendoza aplica una etimología similar al topónimo de Galera (vv. 1697-1704), y don Juan de Austria se muestra contento de poder poner el cerco a Galera «por ver si, como en el mar, / dicha en las galeras tengo / en la tierra» (vv. 1793-1795)[5]. .

La abundancia de distorsiones históricas y geográficas del tipo que hemos señalado indica lo erróneo de leer la obra en clave histórica o realista. Cierto, Calderón recogió de los hechos determinados elementos que le venían bien para la comedia que estaba escribiendo; pero los modificó a su antojo cuando le parecía que así lo pedían consideraciones artísticas. De todos modos, sería absurdo esperar de un dramaturgo que asuma la tarea del historiador. Reflexionar sobre los problemas de convivencia social en la Granada posterior a 1492, indagar en las causas del sangriento conflicto de 1568-1571, identificar responsables de la excesiva violencia practicada por ambas partes, son tareas que piden la mirada serena del historiador paciente, y no pueden ser plasmadas de manera intelectualmente satisfactoria en una representación dramática de unas pocas horas de duración. Una obra de teatro que pretendiera tal cosa no podría sino decepcionar, tanto en el aspecto dramático como en el historiográfico.

Para Aristóteles, cuya *Poética* conocía Calderón[6], la diferencia fundamental entre la historia y la poesía reside en que ésta trata lo universal y aquélla lo particular. El historiador que se proponga escribir, digamos, sobre lo sucedido en el Reino de Granada entre 1567 y 1571, debe intentar comprender y exponer, lo mejor y más equilibradamente posible, estos sucesos

---

[5] Este lenguaje náutico ha sido estudiado más detenidamente por Margaret Wilson, «"Si África llora, España no ríe": A Study of Calderón's *Amar después de la muerte* in Relation to its Source», en *Bulletin of Hispanic Studies,* LXI (1984), págs. 422-423.

[6] Véase Duncan Moir, «The Classical Tradition in Spanish Dramatic Theory and Practice in the 17th Century», en M. J. Anderson (ed.), *Classical Drama and its Influence: Essays presented to H. D. F. Kitto,* Londres, Methuen, 1965, págs. 191-228, y Erik Coenen, «Un eco de la *Poética* de Aristóteles en *La vida es sueño*», en *Estudios Clásicos,* CXXXI (2007), págs. 107-129.

particulares, su interconexión, sus causas y efectos, sus matices e incógnitas, sin censuras, prejuicios ni subjetividades conscientes. El poeta dramático, en cambio, puede permitirse tergiversar, simplificar y reorganizar esos mismos hechos particulares, aprovechándose de ellos para abordar cuestiones de carácter general, conforme a su propia y, por supuesto, subjetiva visión peculiar del mundo. Así parece haberlo entendido el filósofo griego, y no de otra manera debe haberlo entendido el poeta español.

Conviene, por lo tanto, resistir la tentación de leer *Amar después de la muerte* como una reflexión sobre los terribles sucesos ocurridos en Granada entre 1567 y 1571. Su sentido —si es que podemos atribuirle alguno más allá de la muy legítima finalidad artística de provocar una reacción emocional en el espectador— debe ser formulable en términos universales. Es verdad que Calderón puede haber tenido sus opiniones sobre dichos sucesos —parece, por ejemplo, haber considerado excesivamente severa la pragmática de 1567 (opinión nada revolucionaria, por otra parte, defendida ya por una facción de la Corte de Felipe II y claramente avalada por los sucesos posteriores)—, pero sería temerario suponer que *Amar después de la muerte* nos permite conocer su «pensamiento» al respecto y mucho más suponer que fue escrita para transmitirlo.

Lo más aconsejable es leer y estudiar el texto de *Amar después de la muerte* no como ejercicio historiográfico, sino como poesía dramática, examinando su estructura interna como un mecanismo diseñado, más que nada, para producir efectos dramáticos. Desde tal enfoque, la importancia de las fuentes históricas en las que se basó Calderón hay que buscarla sobre todo en las transformaciones a las que las sometió para convertir materia histórica en materia dramática. Precisamente en lo que cambió, en lo que magnificó, en lo que eliminó podremos encontrar tal vez indicios de lo que se había propuesto hacer en esta extraordinaria comedia[7].

---

[7] Defino la obra como «comedia» no por minusvalorar sus innegables rasgos trágicos, sino porque así se solían denominar las obras de teatro en la época.

LA ACCIÓN

Jornada primera

Llama la atención que Calderón, desde el primer momento de la obra, procura despertar la simpatía del público para con sus personajes moriscos, empezando por el venerable anciano don Juan Malec —figura bastante más atractiva que el Jerónimo el Maleh histórico—, pasando por su hija Clara y terminando en el indiscutible protagonista, don Álvaro Tuzaní. La acción arranca con una situación que podemos considerar histórica, ya que reuniones ilícitas de los viernes como la que tiene lugar en la casa del cadí eran frecuentes, según el escueto testimonio de Mármol Carvajal (II, 1). Histórica también es, como ya señalamos, la pragmática real que se hizo pública a principios de 1567 y de la que acaba de ser informado don Juan Malec. Sin embargo, el peso de su discurso descansa en un suceso totalmente ficticio: el altercado que ha tenido con don Juan de Mendoza y que ha desembocado en una grave afrenta a su honor. Esta afrenta, que no puede vengar en persona a causa de su avanzada edad, es el principal motivo que le lleva a instigar a los moriscos a rebelarse. No parece muy plausible que Calderón haya querido ofrecer con ello una interpretación histórica alternativa. Habrá pretendido más bien provocar en el espectador una reacción de compasión, siendo la compasión que despierta el hombre inmerecidamente deshonrado uno de los efectos emocionales que persigue el teatro barroco en general y muy particularmente el de Calderón. Ya Lope de Vega había estado convencido de la eficacia de ese mecanismo, insistiendo en ella en su *Arte nuevo de hacer comedias* («Los casos de la honra son mejores / porque mueven con fuerza a toda gente», vv. 327-328); y el propio Calderón expresó a menudo esa misma convicción a través de sus personajes, como el Carlos de *El galán fantasma*:

> De cuantas desdichas, cuantas
> miserias, cuantos tormentos
> padece un hombre infeliz,

a ninguno [...] tengo
mayor lástima que a un noble
ofendido, en quien contemplo
amancillado el honor.

(OC I, pág. 641b)*

El «caso de la honra» de don Juan Malec da pie a toda la acción restante de la primera jornada, a la vez que permite al autor introducir a los demás personajes principales y moldear los sentimientos del público hacia ellos. El primero de estos personajes es doña Clara Malec, a quien conocemos triste e indignada por la afrenta sufrida por su padre, y poseída de un noble impulso de vengarla, impulso que lamenta tener que frenar porque su condición de mujer no le permite llevar a cabo tales hazañas (vv. 240-269). El siguiente es el propio don Álvaro Tuzaní, cuya entrada en escena es motivada por la misma afrenta, ya que acude con la intención de casarse con Clara lo antes posible para poder convertirse en yerno de Malec y, por tanto, en la persona indicada para vengar su afrenta. Se enreda más la situación al rechazar Clara esta propuesta por no querer «que me hallases sin honor / para casarte conmigo» (vv. 374-375). A la vez, este rechazo atestigua ante el público el alto concepto del honor que posee Clara.

El diálogo de los dos amantes es interrumpido por la llegada de don Fernando de Válor —el futuro Abén Humeya, personaje histórico— y el Corregidor don Alonso de Zúñiga —personaje ficticio—, que acuden a casa de Malec para proponerle remediar su deshonra casando a su hija con el ofensor, don Juan de Mendoza. Clara, que escondida con Álvaro es testigo secreto de estas deliberaciones, sale de su escondite para dar su consentimiento, provocando con ello la indignación de don Álvaro. Ella defiende su sorprendente decisión aduciendo que se casará con Mendoza con el único fin de matarlo, pero don Álvaro se marcha furioso, camino de la Alhambra para desafiar a Mendoza, como resulta después.

Se traslada la acción a la Alhambra, donde nos encontramos con un don Juan de Mendoza ya un tanto arrepentido de sus acciones y acompañado de Garcés, que las justifica. Convirtiendo así al aventurero Francisco Garcés de Pérez de

Hita en un soldado amigo de Mendoza, Calderón consigue introducir ya en la jornada primera a este personaje, que desempeñará un papel crucial en la tercera. Inserta además hábilmente en el diálogo una referencia a don Juan de Austria, preparando así al público para su irrupción en escena al principio de la jornada segunda. Introduce también a doña Isabel Tuzaní —hermana de don Álvaro y cristiana secreta enamorada de Mendoza— que llega para prevenir a su amante del propósito de casarlo con Clara Malec. Se retira Garcés, llega don Álvaro, se retira doña Isabel, los contrincantes sacan las espadas y luchan, llegan Válor y Zúñiga, se encienden aún más los ánimos, y la jornada primera acaba con don Álvaro Tuzaní y don Fernando de Válor marchándose furiosos y anunciando venganzas.

Como veremos, en las jornadas restantes Calderón parece olvidarse casi por completo de la rivalidad entre don Álvaro Tuzaní y don Juan de Mendoza, sólo acordándose de ella efímeramente en dos ocasiones (vv. 1088-1090 y 3118-3125). Asimismo, los ya de por sí extraños amores de don Juan de Mendoza y doña Isabel Tuzaní —extraños por el desprecio que profesa aquél a todo el que no sea cristiano viejo— apenas inciden en la acción de las jornadas segunda y tercera, aunque hay alguna que otra alusión a ellos, y son la causa implícita de la melancolía crónica que padece Isabel. El origen humilde y la pobreza que se atribuyen a don Álvaro Tuzaní (vv. 339 y 344-345) no parecen ser impedimento para que aspire a futuro Rey de los moriscos (vv. 1077-1083), ni para que ofrezca a Clara regalos sin duda valiosísimos. Por otra parte, el casamiento de Clara y Álvaro, que en la jornada primera se supone imposible, y que al parecer sigue siéndolo durante tres años, resulta de repente no topar con obstáculo alguno justo antes de llegada de las tropas de don Juan de Austria a la Alpujarra, sin que se dé una explicación satisfactoria de este cambio de pareceres. Hay, en suma, una extraña discontinuidad entre el universo dramático de la jornada primera y el de las jornadas segunda y tercera; y esta discontinuidad se debe casi totalmente a la inclusión en aquélla de una serie de lances de honor y amor que, por un lado, carecen de base histórica y, por otro, resultan bastante prescindibles para el engranaje argumental de la obra[8].

Cabe preguntarse, por lo tanto, por qué los incluye Calderón. Desde luego, no pretenden arrojar luz sobre los sucesos históricos. Tampoco parece muy razonable suponer que el autor pretendiera presentar con ellos una visión personal de la exclusión social de los moriscos. A fin de cuentas, hacía muchos años que los moriscos habían sido expulsados de la Península y, además, sus personajes no son en absoluto representativos de esa comunidad. Habrá que volver sobre esto más adelante, pero basta por ahora con señalar que los personajes moriscos relevantes de la obra son, antes que otra cosa, nobles, y que es su categoría de nobles lo que los define a lo largo de la jornada primera mucho más que su categoría de moriscos. Parece ser precisamente esto lo que pretende resaltar Calderón en esta jornada: la ejemplar nobleza, la intachable caballerosidad de sus protagonistas. La afrenta sufrida por don Juan Malec y la negativa de Clara a casarse con don Álvaro le proporcionan a éste la oportunidad de mostrar su sentido del honor, su valentía y la fuerza de su amor. Doña Clara, por su parte, combina hermosura e ingenio —las dos excelencias que Calderón suele atribuir a sus protagonistas femeninas más ejemplares—, es tan honrada como su padre —como se manifiesta en su casi indomable impulso de vengar la afrenta que éste ha sufrido— y se enfrenta, igual que su amante, al dilema de elegir entre los imperativos del amor y los del honor. Todo esto contribuye a tender puentes de simpatía entre el público y los protagonistas. Al mismo tiempo, los contra-

---

[8] Vistas estas (¿aparentes?) incongruencias, no le faltarían argumentos a quien quisiera defender la hipótesis de que la jornada primera es obra de otro autor. A las señaladas se podrían añadir incluso unas cuantas más: el cambio de actitud de don Juan de Mendoza —que desprecia a los moriscos frente a Malec en la jornada primera, pero los alaba por diversos motivos ante don Juan de Austria en la segunda—, cierta modificación en la caracterización de Garcés —que a partir de la jornada segunda pierde todo vestigio de ser «gracioso»—, etc. La jornada primera, además, no es muy abundante en rasgos estilísticos inconfundiblemente calderonianos. Con todo, mientras no aparezca alguna prueba positiva en apoyo de tal hipótesis, el mejor enfoque de las incongruencias percibidas es considerarlas intencionales y buscar la forma más convincente y coherente de resolverlas.

tiempos que sufren, y que se multiplicarán y se intensificarán a lo largo de la obra, los erige como auténticos héroes trágicos enfrentados con un destino adverso que sus elevados sentimientos y la nobleza de sus acciones no merecen. No en balde Calderón salpica las escenas protagonizadas por los amantes de malos augurios, a los que aluden ya las primeras palabras que pronuncia don Álvaro en la obra: «Por mal agüero he tenido...» (v. 276).

Parece lícito concluir, pues, que los lances de amor y de honor que dominan la acción de la jornada primera fueron inventados e incluidos por Calderón principalmente con el fin de implicar emocionalmente al público en los destinos de Álvaro y Clara. Limitarse a mostrar de ellos y de sus amores lo poco que se dice al respecto en la fuente que manejó Calderón, *Las guerras civiles de Granada,* hubiera resultado dramáticamente insatisfactorio, ya que Pérez de Hita no los introduce hasta después de narrar la caída de Galera y no cuenta nada sobre sus vidas anteriores al suceso. Para convertirles en protagonistas dramáticos capaces de interesar y de conmover al público con sus proyectos y contratiempos, hacía falta darles mayor entidad como personajes y como pareja. Para conseguirlo, Calderón optó por crear una cadena de sucesos en perfecta sintonía con lo que más gustaba al público de su tiempo.

Jornada segunda

El tiempo transcurrido —unos tres años— no es lo único que separa las jornadas primera y segunda. Parecen desarrollarse en realidades distintas. Al arrancar la jornada segunda, ya no nos encontramos en aquel ámbito soñadamente caballeresco en el que cualquier cuestión de honor basta para que los nobles se jueguen frívolamente la vida sin llegar nunca a perderla de verdad. Ahora sí se sesgan vidas, y no se gana honor haciéndolo: se trata, en palabras de don Juan de Austria, de «matar y no vencer» (v. 894).

El mundo, pues, ya no es el que fue. Granada está en guerra, y se ha abierto una brecha infranqueable entre dos grupos de personajes que antes eran, en muchos sentidos, iguales. Como símbolo de este cambio, todos los notables moriscos han abandonado el «don» y arabizado su nombre en obediencia a un decreto inventado por Calderón y atribuido en la obra a Abén Humeya (vv. 1094-1111): don Álvaro ha pasado a llamarse el Tuzaní a secas, Clara se llama en adelante Maleca, Beatriz es Zara, don Juan Malec es Ladín, doña Isabel es Lidora y, por supuesto, don Fernando de Válor es ahora Abén Humeya, nombre que el Válor histórico efectivamente adoptó para destacar su descendencia de los emires y califas de Córdoba y hasta de los Omeyas o Humeyas de Damasco.

El cambio lo marca la irrupción en escena de don Juan de Austria. En realidad, Felipe II no envió a su hermanastro a Granada hasta después de varias campañas militares lideradas por el Marqués de Mondéjar y el Marqués de los Vélez, pero en un golpe audaz de simplificación de los hechos, Calderón opta por reducir la larga y compleja guerra a una sola campaña, y ésta incluso a la conquista de una sola población, como se verá en la jornada tercera. Es históricamente correcto, en cambio, que fue don Juan el encargado de conquistar Galera, aunque el cerco ya había sido alzado por el Marqués de los Vélez.

Don Juan de Austria sale al escenario poseído de un arrojo juvenil rayano en la soberbia, tal como, según Mármol Carvajal, se mostró el don Juan histórico durante la campaña de Galera, furioso por los desmanes cometidos por los rebeldes[9]. Don Juan de Mendoza le aconseja no subestimar al enemigo y le explica, «mientras pasando va la gente», las causas de la rebelión y la evolución de los acontecimientos (vv. 931-1158). Su monólogo, ubicado en un momento de la segunda jornada análogo al de su adversario Malec en la primera, es el discurso más largo de la obra y su función básica es transmi-

---

[9] Mármol le atribuye estas palabras: «Yo hundiré a Galera y la asolaré y sembraré toda de sal, y por el riguroso filo de la espada pasarán chicos y grandes, cuantos están dentro, por castigo de su pertinacia y en venganza de la sangre que han derramado» (VIII, 5).

tir una serie de datos, no a don Juan de Austria, por supuesto, sino al público. En el discurso de Mendoza, Calderón mezcla más que nunca lo real y lo ficticio, adaptando los sucesos históricos a las necesidades dramáticas y ofreciendo una descripción de la Alpujarra que debe más a la retórica y la conveniencia artística que a la orografía y la topografía.

Calderón aprovecha la oportunidad que le rinde la situación para introducir a un personaje más, don Lope de Figueroa, personaje histórico que se había ido transformando en un estereotipo literario[10]. La aprovecha también para introducir un hilo argumental de su propia invención, cuyo protagonista es Garcés, familiarizando más al público con él después de su muy breve aparición en la jornada primera. Le hace ahora responsable de la captura de Alcuzcuz, hecho que le llevará después al descubrimiento casual de la «mina» o galería subterránea debajo de Galera, lo cual a su vez será decisivo para la elección de Galera como primer objetivo militar y para toda la cadena de sucesos posteriores derivados de ella.

De momento, la acción se traslada a un *locus amoenus* de la Alpujarra que resulta ser Berja, donde don Fernando de Válor —ya proclamado Rey de los moriscos con el nombre de Abén Humeya— trata de consolar a su reciente esposa y reina doña Isabel Tuzaní, ahora llamada Lidora y presa de una profunda tristeza que sólo el público sabrá atribuir a su ya imposible amor por don Juan de Mendoza. Don Juan Malec se presenta ante los nuevos «reyes» pidiendo permiso para casar a su hija Maleca con quien ahora se llama el Tuzaní a secas. Es una de las escenas más bellas de la obra, impregnada de un tierno lirismo, pero también de una sensación de desastre inminente. Esta sensación ya es transmitida en la tristeza de Lidora con la que abre la escena; se acentúa en el repentino estrépito de los tambores de las tropas de don Juan de Austria, que interrumpe la boda en el instante preciso en que los novios afirman su felicidad (v. 1458); e impregna, sobre todo, el

---

[10] Véase nuestra nota al verso 1197.

bello estribillo cantado por los músicos y glosado después por los novios:

> No es menester que digáis
> cúyas sois, mis alegrías;
> que bien se ve que sois mías
> en lo poco que duráis.

La escena es importante, entre otras razones, porque Calderón la aprovecha para introducir en la obra un elemento cargado de simbolismo que le será de gran utilidad más tarde: las joyas que el Tuzaní le regala en dote a Maleca, entre las que destaca un reluciente Cupido de diamantes. Por otra parte, acabará siendo crucial también el reparto de tareas defensivas impuesto por Abén Humeya, que obliga al recién casado Tuzaní a marcharse a Gabia, dejando a su esposa en Galera con su padre. Los amantes lo ignoran todavía, pero su suerte está echada, y, después de años de casto amor, no les llegará siquiera la oportunidad de consumar su matrimonio.

Alcuzcuz, mientras tanto, ha conseguido burlar la vigilancia de su guardián Garcés, llevándose además su alforja, que resulta estar llena de tocino y vino, ambos prohibidos por su religión, lo cual no le impedirá más tarde emborracharse con el vino. Como ya señalamos, su fuga ha tenido también como resultado imprevisible el descubrimiento por parte de Garcés de la galería subterránea debajo de Galera que, una vez cargada de explosivos, servirá para hacer reventar de golpe todas las defensas de la villa. Se trata, una vez más, de una curiosa transformación de los hechos históricos, ya que en realidad Galera no fue «minada / de los ardides del tiempo», como dice Garcés (vv. 1767-1768), sino minada por los ardides de los ingenieros militares, que cavaron laboriosamente una serie de conductos por debajo de Galera con el mismo fin. También en esta parte de la acción, Calderón optó por simplificar los hechos para que las complicaciones irrelevantes no distrajesen de la acción principal.

Garcés comunica su descubrimiento a los mandos cristianos justo cuando éstos están deliberando sobre prioridades tácticas, y bastan sus noticias para que decidan atacar Galera antes que ningún otro lugar. Don Juan de Austria ve como buen agüero el nombre del lugar a atacar (v. 1786), pero para los espectadores se trata de una decisión ominosa, ya que saben, por la escena anterior, que en Galera se ha quedado Maleca sin el Tuzaní. Allí se reúne éste con ella furtivamente en la última escena de la jornada segunda, de nuevo sin poder consumar su matrimonio, siendo también esta vez su encuentro interrumpido por repentinos indicios del avance del ejército cristiano. Su propósito de llevársela consigo —previsiblemente la única forma de salvarla de la matanza inminente— se ve frustrado por el descuido de Alcuzcuz, al que se le ha escapado su yegua. Al Tuzaní no le queda más opción que marcharse solo para disponer la defensa de Gabia, dejando a Maleca en el lugar sobre el que pronto descenderá la ira de don Juan de Austria. Así acaba la jornada segunda, con el destino (su «opuesta estrella» o su «hado severo», vv. 1977-1978) cerniéndose sobre la trágica pareja.

Jornada tercera

La jornada tercera abre con lo que en lo sustancial es una repetición de la acción que cerró la segunda. De nuevo, el Tuzaní aprovecha la oscuridad de la noche para visitar en secreto a Maleca. Tropieza en lo que cree que es un cadáver, pero que en realidad es el cuerpo inerte de Alcuzcuz, todavía durmiendo su borrachera de la noche anterior ante los muros de Galera: nuevo mal augurio que prefigura los cadáveres amontonados que pisará cuando finalmente entre en la villa (v. 2168). El Tuzaní llega tarde. Unos soldados —entre ellos, inevitablemente, Garcés— están ya cargando de explosivos la mina, por lo que el Tuzaní se ve obligado a esconderse entre unas ramas sin poder entrar en la villa. En su escondite presencia la explosión que permite al ejército cristiano tomar Galera sin obstáculo alguno. Esta conquista relámpago es una simplificación más de los hechos históricos, ya que en realidad las tropas de don Juan sufrieron no pocos contratiempos que complicaron la operación, la estratagema de las minas

sólo les funcionó a medias y tuvo que ser repetida, y la pequeña villa tardó varias semanas en caer.

No deja de ser llamativo que la conquista de Galera se des-
pache en tan sólo dieciocho versos (vv. 2134-2151), y que la
única lucha cuerpo a cuerpo que se representa en escena es
la que termina con la muerte de don Juan Malec (ahora llamado Ladín). Cae así, enfrentándose valiente pero inútilmen-
te a un enemigo abrumadoramente superior, el venerable anciano, cuya afrenta no se ha podido vengar nunca y que recibe al morir nuevos insultos («Muere, perro, y a Mahoma /
da un recado de mi parte», vv. 2150-2151). Este trato sufrido por
Malec, y que el espectador no podrá sino sentir como inme-
recido, fortalece sin duda en éste la necesidad emocional de
algún tipo de reparación —de «justicia poética», si así se prefiere—; necesidad que acabará satisfaciendo el Tuzaní, como
si actuara en nombre de todos los moriscos afrentados.

Mientras los soldados cristianos abandonan la villa cargados
con el botín —que en efecto fue especialmente abundante en
la conquista de Galera, según Mármol Carvajal (VIII, 5)—, el
Tuzaní entra en Galera en busca de su esposa. La encuentra
moribunda, pero aún capaz de dirigirle sus últimas frases des-
garradoras mientras expira en sus brazos. En el llanto que su
muerte le arranca, el Tuzaní hace hincapié en los años que
ha tenido que esperar para poder unirse con Maleca, y que han
quedado sin fruto alguno debido a la codicia de los conquis-
tadores de Galera:

> ¿qué debe hacer un amante
> que viniendo a ver su dama
> la noche que ha de lograrse
> un amor de tantos días,
> bañada la halla en su sangre?

(vv. 2253-2257)

Circunstancia esta que incrementa aún más la imperiosa
necesidad de venganza o justicia poética. El *planctus* del Tuzaní, brevemente interrumpido por la tardía llegada de Abén
Humeya con refuerzos, es tal vez el monólogo más furioso de
todo el teatro clásico español.

Mientras el Tuzaní se marcha en busca de venganza y las tropas de Abén Humeya abandonan Galera, en un campo cercano los altos mandos del ejército real deliberan sobre la línea a seguir. Don Juan de Austria acepta el consejo de don Lope de Figueroa de «templar el rigor» practicado en Galera por medio de un despliegue de «piedad» en Berja, es decir, ofreciendo un perdón general para todos los moriscos que se muestren dispuestos a deponer las armas, a la vez que amenazándolos con una repetición de la matanza de Galera si se empeñan en su rebelión. Don Juan de Mendoza es mandado a Berja para pregonar esta oferta, y se quedan solos en escena don Lope de Figueroa y don Juan de Austria, admirando unas preciosas joyas procedentes del saqueo que aquél le ha comprado a un soldado. El soldado es, como quedará claro después, Garcés; y las joyas, por supuesto, son las que regaló el Tuzaní a Maleca en sus bodas. Es en esta actitud de contemplación de las alhajas como repara en ellos, compungido e incrédulo, el Tuzaní, que junto con Alcuzcuz se ha infiltrado en el ejército cristiano en busca del asesino.

No tarda mucho en reaparecer también ante sus ojos la parte de la dote más cargada de simbolismo, el Cupido de diamantes. Lo tiene un soldado raso que se cruza en su camino al pedir su arbitraje en una disputa de juego, y que afirma haberlo obtenido a su vez de otro soldado, «que entre sus joyas quitado / la había a una morisca bella, / a quien dio muerte» (vv. 2660-2662). Inesperadamente cerca de descubrir la identidad del hombre que busca, don Álvaro parece echarlo todo a perder cuando, empujado por los valores caballerescos que profesa, se deja involucrar sin necesidad alguna en una pendencia, poniéndose sin más de lado del soldado que lucha solo contra muchos. Lo que no sabe, pero que ya habrá sospechado el público, es que el soldado al que apoya en la pendencia es el mismo que mató a Maleca; es Garcés, figura aún desconocida para don Álvaro Tuzaní pero ya muy familiar para el espectador. Se siembra así la semilla de una espléndida ironía dramática que Calderón sabrá pronto aprovechar al máximo, construyendo sobre ella la mejor escena de la obra.

En la pendencia muere un hombre, por lo que son detenidos el Tuzaní y Alcuzcuz; probablemente, Calderón insertó el episodio de la pendencia más que nada para que se produzca esta detención, necesaria para la escena de la venganza tal como la ideó. Mientras los dos moriscos disfrazados son llevados al cuerpo de guardia, don Juan de Mendoza regresa de Berja para informar sobre la reacción de los rebeldes ante su oferta de perdón general, que ha provocado un cisma en sus filas. El episodio está sin duda inspirado en el «Bando en favor de los que se redujesen» que hizo divulgar don Juan de Austria en abril de 1570 y que reproduce Mármol Carvajal (VIII, 21), aunque las circunstancias históricas fueron muy distintas, entre otras cosas porque el destinatario de la misión de paz de Mendoza, Abén Humeya, ya había muerto a manos de sus propios seguidores, antes del sitio de Galera incluso, ocupando Abén Aboo su lugar (Mármol Carvajal, VII, 12). En el contexto de la obra, el episodio de la oferta de perdón general y las reacciones que provoca —no representadas en escena, sino narradas por Mendoza— prepara el terreno para la rendición pacífica de los moriscos sublevados en la escena final.

Los grandes espacios de las campañas militares a lo largo y ancho de la geografía granadina, ya bastante menguados por Calderón al ser confinados al imaginario triángulo Galera-Berja-Gabia, acaban reduciéndose, en la escena de la venganza, a la estrechez del cuerpo de guardia que les sirve de prisión a los tres detenidos: don Álvaro Tuzaní, Alcuzcuz y luego también Garcés. Antes de llegar éste, Alcuzcuz consigue, con los dientes o con una daga que el Tuzaní lleva escondida, cortar la cuerda con la que éste tiene atadas las manos. Esa misma daga será el instrumento de la venganza del Tuzaní.

La escena que se desarrolla a continuación es sin duda la mejor de la obra y una de las más logradas que salió de la pluma de Calderón. Un comentario casual de Garcés (vv. 2935-2936) despierta en el Tuzaní la sospecha de que él ha sido el asesino de Maleca; basta con hacerle unas cuantas preguntas para confirmar que lo es. Poco antes fue el Tuzaní quien no sabía que el soldado a cuyo lado peleaba era el hombre al que buscaba; ahora que lo sabe, la ironía dramática se desplaza a Garcés, a quien nada le hace sospechar que el que toma por un compañero de armas es, en realidad, el viudo de la hermosa morisca apuñalada, y que es él a quien busca. En contraste con esta mortal ignorancia de Garcés, son muchas las cosas que sabe muy bien el público, y muchas más las que intuye al presenciar esta escena. Conoce ya bien a don Álvaro Tuzaní. Lleva dos o tres horas compartiendo con él sus esperanzas, sus frustraciones, sus penas y sus fugaces alegrías. Se identifica con él y compadece su suerte. Ha llegado a conocerlo como un hombre valiente y honrado, y ha visto, sobre todo, numerosas pruebas de la inquebrantable fuerza de su amor: su generosidad, su respeto, su sensibilidad —tan manifiesta en los tiernos versos que pronuncia al ofrecerle a Maleca sus regalos—, sus años de paciente espera. Ha presenciado su desgarrador llanto por la muerte de Clara y su audaz resolución de vengarla en pleno campo enemigo. Intuye, por tanto —y en esto reside tal vez la fuerza de la escena—, la violencia de los sentimientos que intenta disimular el Tuzaní mientras escucha, deseoso de apurar el amargo cáliz hasta las heces, a Garcés relatar sus fechorías. Éste no sabe interpretar correctamente las reacciones e interrupciones del otro, pero el espectador no precisará de grandes dotes de empatía para sentir en cada frase de Garcés una nueva puñalada verbal. Así, a diferencia del asesino, el público entiende perfectamente por qué don Álvaro se queda «con llanto en los ojos / y sin color en la cara» cuando el asesino de Maleca se detiene en detalles como éste, que evoca sutilmente el terror y la impotencia de la víctima indefensa:

> como si fueran
> las cortinas de una cama
> de una muralla cortinas,
> detrás se esconde y ampara.

(vv. 3022-3025)

Podrá imaginarse asimismo qué recuerdos y esperanzas frustradas torturarán la mente de don Álvaro al escuchar palabras como éstas, cargadas de trágica ironía:

estaba
tan alhajada de joyas,
tan guarnecida de galas,
que más parecía que amante
prevenía y esperaba
bodas que exequias.

(vv. 3035-3040)

Varios estudiosos de Calderón —desde Marcelino Menéndez Pelayo, hace más de un siglo, hasta José Alcalá-Zamora en fechas recientes— han recalcado la extraordinaria fuerza dramática del momento culminante de la obra, en el que toda la tensión acumulada a lo largo del tercer acto y sobre todo en la escena que acabamos de comentar la libera de golpe el Tuzaní hundiendo su daga en las entrañas de Garcés y exclamando: «¿Fue / como ésta la puñalada?» La frase es admirable porque vincula con gran economía verbal la puñalada que en ese preciso instante recibe Garcés con la que él proporcionó antes a Maleca. Al conectar de esta manera explícita ambas muertes, Calderón subraya que la de Garcés es una venganza o un acto de justicia, un acto que en algún sentido, al menos de modo emocionalmente satisfactorio para el espectador, contrarresta o anula la muerte de Maleca. La frase expresa un concepto sumamente elemental de la justicia. Es, en el fondo, la veterotestamentaria ley del talión: ojo por ojo, diente por diente, puñalada por puñalada.

Antes de morir, Garcés aún consigue reprocharle al Tuzaní el haberle cogido «sin armas / y con traición» (vv. 3095-3096). En esto, como en tantas cosas, Calderón se aparta de su fuente, ya que según Pérez de Hita, el Tuzaní desafió a Garcés a duelo, y éste acabó muriéndose de las heridas sufridas. Por supuesto, la escena inventada por Calderón es mucho más eficaz en términos dramáticos. Su desenlace, que constituye la única acción nada caballerosa de don Álvaro Tuzaní en la obra, recuerda en cierto sentido el de *El alcalde de Zalamea:* lo mismo que el capitán violador de Isabel Crespo —ejecutado por garrote vil, que no degollado como corresponde a un hombre de su categoría social—, Garcés no se merece una muerte noble, no se merece la muerte de los valientes. Merece morir vilmente, por una puñalada en la espalda, que es lo que le proporciona el Tuzaní.

Vengado este y resuelto por lo tanto el conflicto individual, queda por resolver el conflicto colectivo, con la rendición de los rebeldes y la restauración de la armonía social perturbada. Calderón utiliza para ello la figura de doña Isabel, hermana del Tuzaní y viuda de Abén Humeya, habiendo sido éste derrocado antes por los suyos. Isabel es la figura idónea para servir de puente entre las dos comunidades enfrentadas, siendo «morisca en la voz / y católica en el alma» (vv. 3200-3201). Resulta plausible incluso que Calderón creara este personaje, más que nada, con el fin de cumplir esa función. Isabel pide, como única recompensa para la rendición, el perdón para su hermano, por lo que puede quedar sin consecuencias penales el apuñalamiento de Garcés, tal como exige el sentimiento de justicia del espectador. Cabe añadir que la rendición es explicada en términos exclusivamente políticos —la entrega de la corona del Reino de Granada—, sin referencia alguna al ámbito religioso ni a las disposiciones legales que provocaron la rebelión. Cabe añadir también que, aunque históricamente la toma de Galera fue un episodio decisivo en el curso de la guerra, la derrota y rendición final de los sublevados no se produjo de esta forma, ni resolvió el problema de fondo, dejando una llaga acaso ya incurable en el seno de la sociedad. Ya en 1581, diez años después de concluida la guerra, se propuso por primera vez como «solución» la expulsión colectiva de los moriscos de todos los reinos hispánicos: medida que acabaría decretando Felipe III en 1609. Pero ni de esto, ni de los durísimos tiempos que vivieron los moriscos tanto en las décadas intermedias como después de exiliados, nos habla Calderón.

TEMAS

Los enfrentamientos personales y colectivos que constituyen el núcleo dramático de *Amar después de la muerte* no son de índole religiosa. Si bien es cierto que la primera escena de la obra sugiere que los moriscos siguen practicando los ritos religiosos del Islam, y también que Fernando de Válor, al convertirse en el rey Abén Humeya, impone a sus seguidores el regreso a ellos, estos hechos en ningún momento los presenta Calderón como causa del conflicto. Hay que recordar que los moriscos eran cristianos: bautizados contra su voluntad o por mera conveniencia en muchos casos, y propensos a seguir practicando el Islam en secreto, sobre todo las capas inferiores de la población; pero al fin y al cabo católicos y vasallos del rey de España. Los moriscos se distinguen por su etnia —son de la «nación africana» (v. 93)—, por una serie de costumbres —que Felipe II pretende suprimir por decreto— y por su categoría de cristianos nuevos, que provoca el desprecio de los cristianos viejos. Esta discriminación social es denunciada por don Fernando de Válor y don Álvaro Tuzaní en la jornada primera:

DON FERNANDO   Porque me volví cristiano,
               ¿este baldón me sucede?
DON ÁLVARO   Porque su ley recibí,
               ¿ya no hay quien de mí se acuerde?

(vv. 855-858)

Parece lícito afirmar que en esto los dos moriscos son portavoces de las opiniones de Calderón, quien aprovecha así la oportunidad para expresar su rechazo de una línea divisoria entre dos tipos de cristianos difícilmente defendible desde los postulados de su religión. No deja de resultar ridículo el orgullo montañés de don Juan de Mendoza, cuya concepción de los moriscos como «gente vil, humilde y baja» (v. 123) es claramente desmentida, entre otras cosas, por el noble comportamiento de don Álvaro Tuzaní en la obra. Al escuchar las opiniones de Mendoza, Malec insiste en que la nobleza trasciende diferencias étnicas, y le recuerda que los moriscos son cristianos:

Como si dejara
de ser real —le respondí—
por mora, siendo cristiana
la [sangre] de Valores, Zegríes,
de Venegas y Granadas.

(vv. 147-151)

Al entrar en la comunidad cristiana, los moriscos —incluso los de rango social más alto— siguen llevando el estigma de ser «moros», y sólo han llegado a ser cristianos a medias. Calderón coincide en esto con Hurtado de Mendoza, quien observó que los moriscos eran «tratados y tenidos como moros entre los cristianos para ser menospreciados, y como cristianos entre los moros para no ser creídos ni ayudados»[11].

Ahora bien, la innegable simpatía con la que Calderón retrata a sus personajes moriscos no significa que *Amar después de la muerte* constituya «la representación de la tragedia del pueblo morisco»[12]. Con la única excepción de Alcuzcuz —que, como «gracioso» de la obra, es un ser meramente convencional, como ya indica su ridículo nombre[13]—, ninguno de los personajes moriscos puede ser identificado con el «pueblo». Don Fernando de Válor, don Juan Malec y su hija doña Clara, don Álvaro Tuzaní y su hermana doña Isabel: todos pertenecen a la nobleza urbana granadina, y si hay un colectivo social cuyos derechos o cuya dignidad defiende Calderón es esta élite social morisca, de costumbres pulidas y valores aristocráticos, y no la gran masa anónima de horticultores y cultivadores de la seda alpujarreños ni la de los artesanos y mercaderes que poblaban el Albaicín; no es, en suma, el «pueblo»[14].

---

[11] Cito de la excelente edición de Bernardo Blanco-González, Madrid, Castalia, 1970, pág. 116.

[12] La frase es de Antonio Regalado, *Calderón. Los orígenes de la modernidad en la España del Siglo de Oro,* tomo I, Barcelona, Destino, 1995, pág. 836.

[13] También en otra comedia de Calderón, *El gran príncipe de Fez,* el gracioso se llama Alcuzcuz.

[14] Con todo, no se puede pasar por alto la alabanza de la destreza de los moriscos como agricultores incluida en la jornada segunda (vv. 967-978). Puede ser que Calderón, al insertar en el discurso de Mendoza esta valoración positiva de la labor de los moriscos, tuviera segundas intenciones; pero, en ese caso, hemos de buscarlas en un deseo de subrayar la contribución de los moriscos al bienestar del conjunto de la sociedad, fomentando lo que siempre fue el elemento débil de la economía castellana, la productividad agrícola. Piensa en lo mismo don Juan de Austria cuando, después de la matanza de Galera, expresa su deseo de que «los rebelados / [...] vuelvan a vivir / con nosotros y *asistir / con sus oficios y estados*» (vv. 2450-2452). Calderón, en suma, alaba a los moriscos comunes no para lamentar las desgracias que sufrieron, sino para destacar su utilidad para el bienestar colectivo.

Calderón insiste en que los nobles moriscos comparten con los cristianos viejos un mismo sistema de valores caballeresco. En sus actitudes y códigos de conducta, son indistinguibles de sus adversarios. En ninguna ocasión pone el autor tanto énfasis en ello como en la escena del duelo de Mendoza con don Álvaro (vv. 672-770), en la que resulta imposible diferenciar cuál de los dos contrincantes es el cristiano viejo y cuál el morisco, puesto que lo que profesan no son sus ancestrales leyes religiosas, sino «las leyes de caballero» compartidas por ambos (v. 751). Cada uno admira el valor y la destreza del otro (vv. 735-736), y cuando sucede un imprevisto se ponen de acuerdo inmediatamente sobre cómo debe actuar cualquier caballero que se precie de serlo:

DON ÁLVARO   A la puerta llama gente.
MENDOZA   ¿Qué haremos?
DON ÁLVARO   Que muera el uno
              y abra luego el que viviere.
MENDOZA   Decís bien.

(vv. 766-769)

La noción de nobleza —entendida como conjunto de principios éticos más que como categoría social, si bien es ésta la que impone el deber de aplicar aquél— rige la conducta y los razonamientos del Tuzaní desde el principio hasta el final de la obra. Al contemplar Galera en llamas, considera: «Ni soy noble, pues, ni amante / si a socorrer a mi dama / al fuego no me arrojare» (vv. 2117-2119). De modo similar razona que don Juan de Austria, por el mero hecho de su alto linaje, no puede haber sido el asesino de Maleca, «porque valor no asegura, / porque no arguye nobleza» (vv. 2570-2571), ni haber perpetrado semejante vileza. Los imperativos de la nobleza son la premisa mayor de todos sus razonamientos.

La profunda semejanza entre los moriscos y los cristianos viejos de *Amar después de la muerte* dificulta la identificación de aquéllos como «el otro», es decir, como seres percibidos por éstos como esencialmente diferentes[15]. Como casi todas las

---

[15] El concepto de «otro» es aplicado a los moriscos de la obra por Giuseppe Grilli («La otredad de *Amar después de la muerte*», en *Calderón 2000. Homenaje a*

sociedades, la sociedad en la que vivía Calderón desconocía las aspiraciones igualitarias que un día propagaría la Revolución Francesa —podía haber igualdad ante Dios en el más allá, pero en el gran teatro del mundo, cada cual tenía su papel preasignado—, y los colectivos se definían más por su posición social que por su etnia. Los nobles cristianos compartían con los nobles moriscos mucho más que con el «vulgo» de su propia ley, al menos en el terreno de los valores, actitudes y aspiraciones. No en balde comparten su etimología las voces «vil» y «villano»: desde la perspectiva del noble cortesano, el hombre percibido como radicalmente diferente era el labrador de aldea, tan carente de educación formal como de costumbres refinadas, por más que fuese su correligionario. En este sentido, acaso debería sorprendernos más en la literatura áurea la dignificación de Peribáñez o de Pedro Crespo que la del Abencerraje o del Tuzaní. En efecto, si hay un «otro» en la comedia, es, insisto, Alcuzcuz[16], hombre de ínfima categoría social, que sólo se distingue de otros graciosos de comedia por su jerga morisca y por sus referencias a los preceptos religiosos; en todo lo demás, responde al mismo esquema básico, y su falta de «nobleza» se hace muy patente cuando declara no tener la menor intención de salvar a Zara de las llamas (vv. 2126-2133), en claro contraste con la actitud valiente del Tuzaní (vv. 2117-2125).

No debe extrañar que en la España cristiana de los Austrias la literatura se sirva de un personaje morisco para ofrecer un

Kurt Reichenberger en su 80 cumpleaños. Actas del Congreso Internacional, IV Centenario del nacimiento de Calderón, Universidad de Navarra, septiembre, 2000, ed. I. Arellano, Kassel, Reichenberger, 2002, II, págs. 207-218); por Hannaa' Walzer («Los moriscos de *Amar después de la muerte*», en *Ayer y hoy de Calderón. Actas seleccionadas del Congreso Internacional celebrado en Ottawa del 4 a 8 de octubre de 2000*, ed. J. M. Ruano de la Haza y J. P. Magallón, Madrid, Castalia, 2002, págs. 133-145) y por Melchora Romanos («Ficción y realidad histórica en *El Tuzaní de la Alpujarra* o *Amar después de la muerte* de Pedro Calderón de la Barca», en *Calderón: Protagonista eminente del barroco europeo*, ed. K. Reichenberger, Kassel, Reichenberger, 2000, págs. 355-372).

[16] Hasta cierto punto, cabe decir lo mismo de Garcés, el más «vil» de los personajes cristianos. No es casual que este personaje integre, al menos en la jornada primera, algunos aspectos del gracioso convencional, como su egoísmo, su gusto por los *exempla* (vv. 576-585) o su tendencia a expresarse en términos de los juegos de naipes (véase nuestra nota a los vv. 608-609).

modelo de perfecta caballerosidad. El sistema de valores que encarna la noción de nobleza —el «código de honor»— debe mucho a la civilización árabe, con su fuerte tradición caballeresca, y no es de sorprender que en la literatura la figura del «moro», en fuerte contraste con la del judío, fuese aprovechada en más de una ocasión para transmitirlo y exaltarlo. Arquetipo de esa literatura es la célebre novelita anónima conocida como *El Abencerraje*, que en el siglo XVI acudió a un personaje árabe y musulmán, Abindarráez, para ofrecer a los lectores cristianos un modelo de excelencia caballeresca. En este sentido, don Álvaro Tuzaní demuestra ser un digno sucesor literario de Abindarráez.

La ejemplaridad de don Álvaro Tuzaní como noble se manifiesta sobre todo en su ejemplaridad como amante. Los tratadistas medievales habían enseñado que el amor, como parte de la naturaleza pasional del hombre, es una fuerza destructiva que hay que aspirar a dominar. Amor en este sentido —el de ese mismo «desordenado» apetito sexual que padecen tan memorablemente Calisto y Melibea en *La Celestina*— es lo que le sobreviene a Garcés al encontrarse de repente ante una morisca joven y bella (impulso que él mismo llama «amor» en el v. 3072). Aunque el amor del Tuzaní procede de la misma causa —la belleza de Maleca—, inspira en él acciones muy distintas de las que acomete Garcés en su ansia de satisfacción inmediata de sus deseos. El amor del Tuzaní es una fuerza ennoblecedora, conceptualmente arraigada tanto en el neoplatonismo como en el amor cortés y caballeresco. Frente a la desenfrenada entrega a los impulsos más egoístas que caracteriza a Garcés, el Tuzaní ha practicado una paciencia sobrehumana, supeditando siempre al respeto que le inspira su amada su deseo de gozarla. Su voluntad de ser merecedor de su dama le dota de algunas de las cualidades nobles por excelencia, como son la valentía y el afán de seguir siempre los dictados del honor. Poca duda cabe de que Calderón creó su personaje para ofrecer a su público un modelo a seguir, sugiriendo que, si sabe amar y portarse de modo tan ejemplar un «moro», un cristiano debe aspirar, cuanto menos, a igualarle. Es ésta la relevancia de la insistencia del Tuzaní en el carácter «alarbe» de su amor:

> sepan, conozcan, publiquen,
> vean, adviertan, alcancen
> que hay *en un alarbe pecho,*
> *en un corazón alarbe,*
> amor después de la muerte

(vv. 2362-2366)

Dicho de otra forma: si un «alarbe» es capaz de amar así, ¿cómo puede haber cristiano viejo que se rebaje a «amar» como lo hace Garcés?

También en otros ámbitos de la conducta humana, *Amar después de muerte* pretende transmitir una serie de valores y pautas definidores de la verdadera nobleza. El más importante es el ámbito militar, siendo la guerra tradicionalmente la actividad principal de los nobles y la que justificaba su existencia como colectivo. Si bien la obra difícilmente puede ser interpretada como comentario sobre la Guerra de Granada —que es una materia particular, tema para historiadores y no para dramaturgos— sí aspira, sin duda, a hablar en términos más generales de la guerra, como tema universal[17]. Es revelador el contraste entre la representación de la acción militar de *Amar después de la muerte* y la que ofrece otra comedia de Calderón que trata asimismo un caso de la represión de una rebelión de vasallos del Rey, *El sitio de Bredá*, contraste que justifica una interpretación de ésta como modelo positivo y de aquélla como modelo negativo de cómo llevar a cabo el sitio de un población. La comparación nos permite destilar una especie de ética calderoniana de la guerra, que abarca, entre otras cosas, la generosidad con los vencidos, la aspiración de evitar en la medida de lo posible la efusión de sangre y el rechazo del saqueo[18].

Esto último era más fácil de propagar en teoría que de aplicar en la práctica. Desde la introducción de las armas de fue-

---

[17] Si *Amar después de la muerte* es posterior a 1642, podemos estar seguros de que el autor conocía de cerca la guerra, habiendo participado en los años 1640-1642 en la expedición contra la Cataluña rebelde, y puede que estuviera en Tarragona cuando la ciudad fue sitiada por los franceses en 1641.

[18] Véase Erik Coenen, «Calderón y la guerra: del *Sitio de Bredá* al sitio de Galera», en *Nueva Revista de Filología Hispánica*, LVI (2008/1).

go, la guerra se había ido haciendo (y sigue haciéndose hoy) cada vez más cara, desatando una carrera armamentística incesante que devoraba los recursos financieros. A los soldados rasos, esencialmente mercenarios y aventureros, había que pagarles, y si no había dinero —como pasaba a menudo en la España imperial—, permitirles el saqueo de los lugares conquistados era la única forma de evitar los motines, que podían ser terribles, como la «furia española» que cayó sobre Amberes en 1576. Ahora bien, estando los famosos tercios españoles desplegados en tierras lejanas, la represión de la rebelión de los moriscos se llevó a cabo con ejércitos improvisados en los que militaban —en palabras de Pérez de Hita— «los mayores ladrones del mundo, desolladores y robadores que no llevaban los pensamientos sino en cómo habían de robar y hurtar y saquear los pueblos de los moriscos que estaban sosegados»[19]: tropas a las que era casi imposible imponer disciplina alguna. Felipe II permitió expresamente el saqueo de los lugares conquistados[20], pero en la práctica bandas desmandadas de aventureros vagaron por la Alpujarra saqueando también las villas pacificadas, sembrando el terror por doquier entre la población morisca y, a menudo, llevándose a las mujeres como parte del botín.

No cabe duda de que Calderón aborrecía tales prácticas. Una de las cosas que exalta en *El sitio de Bredá* es precisamente la prohibición del saqueo, incluida en las capitulaciones. Al principio de *El segundo Escipión,* el ejemplar protagonista castiga a dos soldados por intentar despojar de bienes y honra a las mujeres de Cartago Nova, y en la segunda jornada, al conquistar la ciudad, manda parar la matanza y el saqueo porque «ningún valiente fue fiero» *(OC* II, pág. 1441). En un pasaje de *Darlo todo y no dar nada,* el personaje de Campaspe se queja de los «soldados que, infames, / califican lo que es hurto / con el nombre de que es pillaje, / como si mudara especie / la ruindad, por mudar frase» *(OC* II, pág. 1033). En *Amar después de la muerte,* se critica el saqueo de forma más sutil y, por tanto, más eficaz mediante la manipulación de los sentimientos del públi-

---

[19] Pérez de Hita, ed. cit., pág. 39.
[20] Mármol Carvajal, VII 11.

co, que a lo largo de las jornadas primera y segunda ha llegado a identificarse y simpatizar con la pareja protagonista, y que no puede sino sentir repulsa ante las acciones del saqueador Garcés. A tal repulsa contribuyen sin duda, con todo su poder simbólico, los vaivenes del Cupido de diamantes, regalado primero por don Álvaro a Clara en sus bodas, y manoseado y tratado como mera mercancía después por los soldados cristianos.

Frente al ansia del saqueo, Calderón propone la aspiración a ganar fama y honor como fuente de motivación en el campo de batalla. No en balde opone en tres lugares del texto de *Amar después de la muerte* la noción de «provecho» a la de «honor». El propio Garcés justifica en la jornada segunda un acto de inobediencia aduciendo haberlo realizado en busca de honor, y añade que «aun la ambición del honor / no es ambición de provecho» (vv. 1731-1732). Maleca describe a su asesino como «un español, / de sus joyas y diamantes / más que de honor ambicioso» (vv. 2218-2220). Y cuando Garcés reconoce haberse dejado llevar por la codicia, admite que «mal juntos / provecho y honor se hallan» (vv. 3010-3011). Decididamente, junto con el excesivo derramamiento de sangre, es el saqueo lo que para Calderón hace que Galera sea

teatro
de la hazaña más cobarde,
de la victoria más torpe,
de la gloria más infame

(vv. 2274-2277)

Versos estos realmente audaces por parte del poeta, teniendo en cuenta que se refieren a una hazaña bélica llevada a cabo bajo el mando de un Austria, hermanastro del abuelo de un Rey, Felipe IV, que con toda probabilidad vio representar la obra.

LENGUAJE

Nutriéndose de múltiples tradiciones literarias y disciplinas intelectuales, Calderón forjó un lenguaje poético a la vez tradicional y nuevo, convencional y propio. Confluyen en él la tradición cancioneril y la petrarquista, la dialéctica y la retórica, la casuística jesuítica y la metáfora gongorina, el lenguaje conceptual y la evocación de lo sensual. Aunque el estilo que con estos elementos construye Calderón es inconfundiblemente suyo, se deja describir en gran parte con las nociones convencionales de la retórica: en términos de tropos, de figuras de pensamiento y de figuras de lenguaje. Muestra, por ejemplo, una marcada predilección por la antítesis y por las figuras de repetición, de las que *Amar después de la muerte* ofrece numerosos ejemplos. Tendría poco interés enumerarlos: más importante que la clasificación de los medios retóricos es la habilidad para dosificar su empleo de acuerdo con el grado de patetismo que pide cada situación o intervención. Así, en ningún momento de *Amar después de la muerte* se intensifica tanto su uso como en las palabras que pronuncia anegado en llanto don Álvaro con el cuerpo inerme de Clara en brazos (vv. 2233-2369, brevemente interrumpido en vv. 2286-2298). Exclamaciones, anáforas y paralelismos se encadenan en este monólogo, para alcanzar su clímax en una *enumeratio* frenética que invoca al universo entero como testigo de sus actos:

> vengaré, si no su muerte,
> a lo menos mi coraje;
> porque el fuego que lo ve,
> porque el mundo que lo sabe,
> porque el viento que lo escucha,
> la fortuna que lo hace,
> el cielo que lo permite,
> hombres, fieras, peces, aves,
> sol, luna, estrellas y flores,
> agua, tierra, fuego, aire
> sepan, conozcan, publiquen,
> vean, adviertan, alcancen
> que hay en un alarbe pecho,
> en un corazón alarbe,
> amor después de la muerte

(vv. 2352-2366)

Estos versos pueden servir, además, de buen ejemplo del modo en que Calderón recoge elementos convencionales para crear un lenguaje peculiarmente suyo. La invocación del mundo natural como testigo del dolor particular es un tópico clásico (usado, sin ir más lejos, por Garcilaso en un pasaje de su *Égloga primera*), pero Calderón hace reconociblemente suya esta figura incorporando en ella, como hace en tantos de sus textos, la enumeración de los cuatro elementos («agua, tierra, aire, fuego») y de los diversos planos del reino animal («hombres, fieras, peces, aves»), y ampliándola hasta dimensiones cósmicas («sol, luna, estrellas...»), es decir, dotando la figura retórica convencional de diversos rasgos estilísticos propios[21].

Las obras de Calderón se dejan leer no sólo como poesía dramática, sino también como *poemas* dramáticos. Quiero decir con ello que cualquiera de ellas presenta una serie de elementos textuales recurrentes que le prestan una cohesión interna más allá de la acción que acompañan y más allá de la voluntad de los personajes que los pronuncian. También en *Amar después de la muerte* nos encontramos con elementos interconectados de este tipo, que extienden, a lo largo del texto, una red de paralelismos, reiteraciones e inversiones. Un ejemplo de cierto interés es la analogía que se produce entre, por un lado, los contenidos de la pragmática del Rey, tal como los resume Malec en la jornada primera, y, por otro, las medidas decretadas por el otro «rey», Abén Humeya, resumidos por Mendoza en la segunda. Malec explica que Felipe II ha decretado

> que ninguno
> de la nación africana,
> [...] pudiese
> tener fiestas, hacer zambras,
> vestir sedas, verse en baños,
> ni oírse en alguna casa
> hablar en su algarabía,
> sino en lengua castellana.

(vv. 92-101)

---

[21] Hay pasajes muy similares en numerosos autos y comedias de Calderón, que llegó a autoparodiarse en *El postrer duelo de España*: «¿Cuándo, astros, planetas, signos, / cielo, sol, luna y estrellas, / con todos los requisitos / de soliloquio furioso, / saldré de este laberinto?» (*OC* II, pág. 1288b).

Mendoza, por su parte, resume los decretos de Abén Humeya así:

> que ninguno se llamara
> nombre cristiano, ni hiciera
> ceremonia de cristiano; [...]
> que ninguno hablar pudiese,
> sino en arábiga lengua,
> vestir sino traje moro,
> ni guardar sino la secta
> de Mahoma.

(vv. 1099-1111)

Como para subrayar el paralelismo entre ambos decretos, Mendoza sugiere que el de Abén Humeya ha sido promulgado precisamente «por oponerse en todo / a las pragmáticas nuestras» (vv. 1094-1095).

Un ejemplo bien distinto es el paralelismo que aplica Calderón en las desasosegadas despedidas de don Álvaro y doña Clara. Su primer encuentro acaba así:

DON ÁLVARO	¿Y eso es lealtad?
DOÑA CLARA	Es honor.
DON ÁLVARO	¿Y eso es fineza?
DOÑA CLARA	Esto es fe

(vv. 384-385)

En la segunda despedida, se invierten los papeles en un intercambio que tiene la misma estructura:

DOÑA CLARA	¿Eso es amor?
DON ÁLVARO	Es honor.
DOÑA CLARA	¿Eso es fineza?
DON ÁLVARO	Son celos.

(vv. 562-563)

Se percibe la misma estructura básica en la tercera despedida, esta vez con una alusión al título de la obra, hábilmente deslizada en el texto por el autor:

[Doña Clara] ¿Esto es amar?
Don Álvaro   Es morir.
Doña Clara Pues ¿qué más morir que amar?

(vv. 1643-1644)

Por supuesto, tales paralelismos no deben ser entendidos como buscados por los personajes, sino como impuestos por Calderón para conseguir efectos poéticos.

A veces, lo más significativo de tales figuras de repetición consiste en las pequeñas modificaciones textuales que conllevan. En su primera respuesta a don Álvaro, doña Clara le asegura:

eres vida de mi alma
y eres alma de mi vida

(vv. 354-355)

Más tarde, el propio don Álvaro, al evocar lo que significa Clara para él, recurre a un quiasmo muy similar, pero cargado de nuevos sentidos al haberse mudado la suerte de los amantes; mudanza que queda expresada por una trágica antítesis entre lo que *fue* y lo que *es:*

esa beldad muerta,
esa rosa deshojada,
el alma fue de mi vida,
y hoy es vida de mi alma.

(vv. 3088-3091)

La imagen de la «rosa deshojada» que aparece en estos versos está a su vez conectada con otras que aparecen en otros lugares del texto. Tiene un antecedente en las metáforas florales de la glosa del segundo acto:

Doña Clara Alegrías mal logradas,
              antes muertas que nacidas...
Don Álvaro Rosas sin tiempo cogidas,
              flores sin sazón cortadas...

(vv. 1555-1558)

44

Palabras que a su vez resonarán en las siguientes, pronunciadas por el Tuzaní al encontrarse con el cadáver de Clara/Maleca:

> esta beldad difunta,
> *flor truncada, rosa fácil,*
> que al fin *maravilla* muere
> como *maravilla* nace

(vv. 2332-2335)

La referencia a las maravillas —es decir, a las flores de ese nombre— recuerda a su vez la ominosa glosa sobre las *alegrías* y *dichas* al final de la escena de las bodas del Tuzaní:

> Por gran *maravilla* os toco,
> dichas; luego bien moristeis;
> que si *maravilla* fuisteis,
> fuerza fue vivir tan poco.

(vv. 1575-1578)

Efectos poéticos similares se producen a lo largo del texto de *Amar después de la muerte* con imágenes procedentes de otros ámbitos. Uno de éstos es la astronomía, de la que Calderón toma una y otra vez imágenes relacionadas con las regiones de los cuatro elementos o con las esferas de los planetas. Así, don Juan de Austria llega a la Alpujarra, según don Juan de Mendoza, para elevarse «a la esfera de Marte luminosa» (v. 902). Abén Humeya le da una suerte de respuesta involuntaria al afirmar que su adversario no será capaz de vencerle, «aunque fuera [...] / como hijo de Carlos Quinto, / hijo del quinto planeta» (es decir, hijo de Marte, vv. 1527-1530). Otras imágenes bélicas proceden de un ámbito cercano al astronómico, el de los truenos y relámpagos. Don Juan de Austria se refiere a la violencia de los moriscos alpujarreños en términos de «rayos» que han sido «abortados» de su «esfera» (v. 884), y Mendoza se expresa en términos similares al discurrir sobre «el primer trueno que dio / este rayo, que en la esfera / de esos peñascos forjaban / la traición y la soberbia» (vv. 1023-1026).

Garcés, finalmente, alude a la esfera del fuego al recordar que pasó «por globos de fuego» al entrar en Galera (v. 2989).

Esta tendencia de Calderón a construir sus textos dramáticos en torno a una serie de metáforas y estructuras lingüísticas recurrentes impide, hasta cierto punto, la adecuación del lenguaje a los personajes. El estilo, además, no depende tanto de la identidad del interlocutor como de la estrofa empleada. Así, las silvas pareadas —la única estrofa usada en la obra que admite el endecasílabo— destacan por su mayor retoricismo y complejidad sintáctica (notablemente las de las jornadas segunda y tercera); y las décimas, como es habitual en Calderón, por su esmerado lirismo. Por lo demás, tan elocuente es don Juan de Austria como don Álvaro Tuzaní, aquél al dirigirse a la Alpujarra:

> Rebelada montaña,
> cuya inculta aspereza, cuya extraña
> altura, cuya fábrica eminente,
> con el peso, la máquina y la frente
> fatiga todo el suelo,
> estrecha el aire y embaraza el cielo
>
> (vv. 877-882)

y éste al dirigirse a la noche:

> Noche pálida y fría,
> a tu silencio dignamente fía
> mi esperanza su empleo,
> mi amor su dicha, mi alma su trofeo
>
> (vv. 1989-1992)

El único personaje que se aparta claramente de los demás en su forma de hablar es, por supuesto, Alcuzcuz, cuya algarabía es un atributo más que le separa no tanto de los cristianos viejos como de todos los nobles de la obra. Se trata de una jerga que, aunque sin duda derivada de rasgos lingüísticos reales percibidos en moriscos de carne y hueso, ya en épocas anteriores a Calderón se había estilizado para convertirse en convención literaria[22]. Reviste determinados rasgos fijos[23], pero éstos admiten modificaciones cuando así lo piden las exigencias de la comicidad o de la rima. Son deformaciones arbitrarias, por ejemplo, la pronunciación de *Alcorán* como «Alacrán» (v. 230) o de *don Lope de Figueroa* como «don Lope Figura-roma» (v. 1509); y basta con que haya una asonancia en *á-a* para que Alcuzcuz aprenda temporalmente a conjugar los verbos con corrección *(manda, agrada,* vv. 229 y 233). Lo cual nos recuerda una vez más que no estamos ante las convenciones del realismo literario, sino ante las del teatro barroco.

FECHA DE COMPOSICIÓN Y TRANSMISIÓN TEXTUAL

Es habitual afirmar que *Amar después de la muerte* fue escrito «hacia 1633». Esta fecha fue divulgada como hecho incontestable por estudiosos como Hilborn y Valbuena Briones, pero tiene su origen en un malentendido. Emilio Cotarelo, en su *Ensayo sobre la vida y obras de D. Pedro Calderón de la Barca* de 1924, había identificado como *Amar después de la muerte* una comedia estrenada en enero de 1633 bajo el título de *Más puede amor que la muerte,* pero erróneamente, ya que se trataba en realidad de una obra poco conocida de Juan Pérez

---

[22] Para la génesis de esta convención, véase A. E. Sloman, «The Phonology of Moorish Jargon in the Work of Early Spanish Dramatists and Lope de Vega», en *Modern Language Review,* XLIV (1949), págs. 207-214.

[23] Rafael Lapesa los resume así: «usa *o, e* en lugar de los diptongos *ue, ie (porta, portas,* «el pan *nostro», mortes, bonas, pimentos); e* por *i (Vevaramba, cristiano, morer, me* 'mi'), *o* por *u (boyendo,* 'huyendo', *dolce)* y *o* por *e (xonior* 'senior', *voneno* 'veneno'); *li* por *ll* y *ni* por *ñ (astilias, tendecilia, morisquilio, lievarla, caniones);* altera las desinencias genéricas de los sustantivos, emplea invariablemente el artículo *el* y confunde género y concordancia *(hostios, Alpujarro; el portas, el leña; el nuez del gaznato vuestra);* se vale del infinitivo o del imperativo + *le* en sustitución de cualesquiera otras formas verbales ("Aquí *importar* el cautela", "Si me *dar* el vida, yo / *decilde* cuanto allá piensan")» («Lenguaje y estilo de Calderón», en *Estudios sobre Calderón,* ed. J. A. Maydeu, Madrid, Istmo, 2000, pág. 249).

de Montalbán[24]. Por tanto, la datación propuesta por Cotarelo y generalmente aceptada debe ser desechada.

Se ha conservado un documento del 12 de diciembre de 1659 según el cual los «autores de comedias» Juan de la Calle y Sebastián de Prado se comprometieron a representar una serie de comedias, entre las que figura «la del Tuzami [*sic*] o otra en su lugar»[25], casi seguramente en alusión al protagonista de esta comedia. La vaguedad de la referencia hace pensar que no se trataba del estreno de la obra, y la verdad es que el estilo de *Amar después de la muerte* no concuerda con el que empieza a cultivar Calderón en la década de 1650, por lo que cabe suponer que la obra es de fecha anterior.

Lo que parece seguro es que al menos dieciocho años, y bien puede ser que muchos más, separan la composición de la obra del texto más antiguo conservado, que data de 1677. Figura con el título de *El Tuzaní de la Alpujarra* en un libro intitulado *Quinta parte de Comedias de D. Pedro Calderón de la Barca,* que fue desautorizado y severamente denostado por Calderón en su prólogo a la edición de sus *Autos sacramentales* de ese mismo año. Y con razón, a juzgar por el texto de *El Tuzaní de la Alpujarra,* que abunda en disparates y defectos métricos. No cabe duda de que el libro fue compuesto y publicado sin ningún tipo de participación del autor, y por eso cuando, una vez muerto éste, Juan de Vera Tassis procedió a la publicación de sus obras completas, comenzó la serie con un tomo intitulado *Verdadera Quinta parte de Comedias de Don Pedro Calderón de la Barca.*

La espuria *Quinta parte* ha dado pie a muchos malentendidos, en gran medida porque existe en dos ediciones distintas

---

[24] Véase M. G. Profeti, *Per una bibliografia di J. Pérez de Montalbán,* Verona, Università, 1976, págs. 297-298. El único ejemplar conocido de *Más puede amor que la muerte* es una *suelta* que se conserva en la London Library; no la he podido examinar, pero la descripción de la misma que ofrece Profeti demuestra que no se trata de *Amar después de la muerte.*

[25] Ch. Davis y J. E. Varey, *Actividad teatral en la región de Madrid según los protocolos de Juan García de Albertos, 1634-1660: estudio y documentos,* II, Londres, Tamesis, 2003, doc. 390(g). Con menor precisión también en C. Pérez Pastor, *Documentos para la biografía de don Pedro Calderón de la Barca,* Madrid, Fortanet, 1905, doc. 160.

pero impresas en el mismo año. La primera, que es la que llegó a manos de Calderón cuando preparaba la edición de los *Autos* en la primavera de 1677, fue supuestamente impresa en Barcelona por Antonio Lacavallería, cuyo apellido aparece reproducido en el frontispicio como «la Cavallería». El error ortográfico es sólo uno de varios detalles sospechosos. Así, en el mismo frontispicio luce un grabado que es el mismo que se usó para la primera edición del *Quijote,* setenta y dos años antes, y que era propiedad de un impresor o librero madrileño, que no barcelonés. Investigaciones de Jaime Moll y de Donald Cruickshank confirman fuera de toda duda razonable que el libro fue realmente impreso en Madrid, y cabe suponer que se fingió su impresión en Barcelona para evitar los trámites legales castellanos, más exigentes que en el Reino de Aragón[26]. El propio Calderón se dio cuenta de esta picardía, al aludir en el prólogo de sus *Autos* a «un libro intitulado *Quinta parte de Comedias de Calderón,* con tantas falsedades, como averse impresso en Madrid, y tener puesta su impressión en Barcelona».

Todo indica que, una vez puesta en circulación la edición de «Barcelona», el impresor madrileño Antonio de Zafra se apresuró a pedir las licencias debidas para publicar ese libro supuestamente aragonés en el Reino de Castilla. Se aprovechó del trabajo de su escurridizo predecesor para imprimir lo que se conoce como una copia a plana y renglón, siguiendo línea por línea su edición para ahorrarse los complejos cálculos que conllevaba la composición de las páginas. Como suele suceder, se cometieron erratas en el texto impreso por Zafra, pero también se realizaron unas cuantas enmiendas. Las enmiendas, especialmente en la puntuación, son tales que nos permiten considerar la edición de Zafra como ligeramente mejor que la que copió, pero carecen totalmente de autoridad, habiendo sido sin duda improvisadas sobre la marcha y

---

[26] Jaime Moll, «Sobre la edición atribuida a Barcelona de la *Quinta parte de Comedias* de Calderón», separata del *Boletín de la RAE,* tomo LIII, cuaderno 198, 1973; Donald W. Cruickshank, «The two editions of Calderón's *Quinta parte* (1677)», en D. W. Cruickschank y J. E. Varey (eds.), *The Comedias of Calderón,* I, Londres, Tamesis, 1973, págs. 201-210.

obviamente sin intervención alguna del autor. Si algunas de sus variantes pueden resultar defendibles —por ejemplo, el verso según el cual la borrachera de Alcuzcuz le impide encontrar su «bota»—, hay que preferir la versión del texto supuestamente publicado en Barcelona, según la cual, en dicho ejemplo, la embriaguez del gracioso llega a tal grado que no encuentra siquiera su propia «boca» (v. 1902).

Como queda dicho arriba, Juan de Vera Tassis hizo ediciones póstumas de casi todas las comedias de Calderón, consultando para ello a veces textos hoy perdidos. Gracias a su esmerada labor, que ha sido criticada con severidad excesiva por algunos estudiosos modernos, se salvaron diversas obras de Calderón, entre ellas algunas tan magníficas como *La cisma de Inglaterra*. De otras, publicó un texto más satisfactorio que los demás conservados. Es, en grandes líneas, el caso de *Amar después de la muerte,* que incluyó en el último tomo que llegó a publicar, la *Novena parte* (1691).

La mayor calidad del texto publicado por Vera Tassis en 1691 frente al que se publicó con otro título en 1677 puede ser explicada de dos maneras: o tenía a su disposición algún texto hoy perdido y más cercano al manuscrito original de Calderón; o realizó numerosas enmiendas acertadas sobre *El Tuzaní de la Alpujarra.* En un artículo publicado en 2006 me pronuncié decididamente por la primera hipótesis, y añadí que, si Vera Tassis no hubiera trabajado con ese hipotético texto hoy perdido, habría que «levantar una estatua en su honor» por la maestría con la que enmendó el defectuoso texto de *El Tuzaní de la Alpujarra*[27]. Hoy por hoy me expresaría con menor contundencia, pero sigo inclinándome más por el texto perdido que por la estatua.

Destaquemos, para empezar, el elevado ritmo con que trabajó Vera Tassis. Un filólogo de nuestros días podría dedicar tal vez un año de su vida o más a la edición de una sola comedia del Siglo de Oro. Disponiendo de recursos tecnológicos harto menos eficaces que los actuales, Vera consiguió editar en el espacio de nueve años la friolera de 108 comedias de

---

[27] Erik Coenen, «Juan de Vera Tassis, editor de Calderón: el caso de *Amar después de la muerte*», en *Revista de Filología Española*, LXXXVI (2006), págs. 245-257.

Calderón. Debe de haber tomado innumerables decisiones rápidas y no puede haberse demorado mucho en pasajes corruptos. Para tener una idea de las dificultades que tuvo que vencer trabajando a tal ritmo sobre el texto de la *Quinta parte* —suponiendo que es eso lo que hizo—, veamos dos ejemplos llamativos, sin modernizar la ortografía y la puntuación. Primero, una décima de la jornada tercera, tal como figura en *El Tuzaní de la Alpujarra:*

> Yo lo que D. Lope digo,
> piadoso y cruel te crean,
> y la cara al perdon vean,
> pues vieron la del castigo:
> de tus piedades, señor,
> su muerte de tu rigor,
> pues mas se suele mostrar
> el valor en perdonar,
> porque el matar no es valor.

(f. 73v)

Los versos quinto y sexto carecen de sentido, y si Vera Tassis hubiera tenido que partir de este texto para su edición de *Amar después de la muerte,* no es nada desdeñable la habilidad con la que resolvió el problema:

> Yo lo que Don Lope digo,
> piadoso, y cruel te crean,
> y la cara al perdon vean,
> pues vieron la del castigo;
> sea tu perdon testigo
> de tus piedades, señor,
> templese ya tu rigor,
> pues mas se suele mostrar
> el valor en perdonar,
> porque el matar no es valor.

(pág. 273)

En este caso, un defecto en la construcción de la décima —a la que le falta un verso en la *Quinta parte*— alerta sobre el problema e indica dónde hay que empezar a resolverlo. En otros casos, no es así, como en estos versos de romance métricamente impecables de la *Quinta parte:*

> y en fin Galera, ni nada,
> de los ardides del tiempo,
> que para si los dé penas,
> es el mejor ingeniero,
> esta

(f. 69r)

Si lo que hizo Vera Tassis es enmendar estos versos, que no tienen ni pies ni cabeza, su solución es ciertamente admirable y no puede estar muy lejos de lo que realmente escribiera Calderón:

> y en fin, Galera minada
> de los ardides del tiempo
> (que para sitios de peñas
> es el mejor ingeniero)
> está

(pág. 264)

Si añadimos a esto las numerosas intervenciones menores que Vera Tassis habría tenido que realizar sobre el texto de *El Tuzaní de la Alpujarra,* resulta mucho más plausible que lo que hizo en realidad no fuera enmendarlo, sino trabajar sobre otro texto más fiable. Con todo, está comprobada la destreza de Vera Tassis para enmendar los textos de Calderón, restaurando en no pocas ocasiones las palabras originales del autor; y hay indicios de que se habría esforzado especialmente en las comedias de la *Novena parte,* en cuya preparación tardó unos tres años (frente a un promedio de un año por cada uno de los tomos anteriores). Su texto de *Amar después de la muerte* no es impecable, y comparte unos cuantos pasajes corruptos con *El Tuzaní de la Alpujarra,* lo cual sólo admite dos explicaciones: que trabajaba sobre la *Quinta parte,* o que ambos textos derivan de un antepasado ya degenerado.

Enfoquemos la cuestión ahora desde las posibles evidencias externas. En sus ediciones de las comedias de Calderón, Vera Tassis solía incluir dos listas de comedias que se le atribuían: una de las que llama «verdaderas» y otra de las que tilda de «supuestas», es decir, las falsamente atribuidas, que no eran pocas. Por extraño que parezca, incluye nuestra comedia en *ambas* listas: en la de «verdaderas» como *Amar después de la muerte* y en la de «supuestas» como *El Tuzaní de las Alpujarras* (en plural, como figura el título sólo en el índice de la edición «madrileña» de la *Quinta parte).* Las dos listas van subdivididas en diversas categorías, y tanto *Amar después de la muerte* como *El Tuzaní de las Alpujarras* figuran en la categoría de las comedias impresas en «los tomos de varias». Esta denominación alude a los volúmenes, generalmente mal hechos y de escasa fiabilidad textual, de comedias de diversas autores: principalmente la serie *Comedias nuevas escogidas de los mejores ingenios de España.* Podríamos pensar que, al incluir nuestra comedia en dicha categoría, remitía a un libro de este último tipo, hoy perdido, y que éste contuviera el antepasado común, ya un tanto corrupto, de la versión de la *Quinta parte* y de la de Vera Tassis. Sin embargo, no creo que sea así, y la razón es la siguiente.

En la lista de comedias «verdaderas»[28], *Amar después de la muerte* ocupa el último puesto, justo después de *Fieras afemina amor* y *La estatua de Prometeo;* difícilmente puede ser mera casualidad el que sean éstas las primeras dos comedias incluidas en la desautorizada *Quinta parte,* donde *El Tuzaní* es la tercera. En la lista de «supuestas», *El Tuzaní de las Alpujarras* figura antes de *El Rey don Pedro en Madrid, Cómo se comunican dos estrellas contrarias* y *Un castigo en tres venganzas,* que son, respectivamente, las comedias quinta, séptima y décima de la *Quinta parte.* Es decir que todo indica que Vera Tassis se limitó simplemente a transcribir los títulos del índice de la espuria *Quin-*

<hr />

[28] Me baso aquí en las dos listas tal como figuran en el primer volumen que publicó Vera Tassis, la *Verdadera quinta parte.* Fueron modificadas en tomos posteriores, pero esas modificaciones no son relevantes para las cuestiones que se tratan aquí.

ta parte, en el mismo orden en el que aparecen allí[29], pero corrigiendo el título de nuestra comedia para la lista de «verdaderas». No parece probable, por lo tanto, que aluda a un libro distinto, hoy perdido.

¿Por qué incluyó nuestra comedia en *ambas* listas? Hizo lo mismo con otra comedia, *El Conde Lucanor,* porque el propio Calderón, en su dedicatoria a la *Cuarta parte* (1672), se había quejado del mal estado textual en que había sido publicada dicha comedia en el tomo XV de *Comedias nuevas escogidas;* por lo que Vera, al parecer, consideraba oportuno hacer una distinción entre una comedia «verdadera» llamada *El Conde Lucanor* —recogida en la *Cuarta parte*— y otra «supuesta», publicada en *Comedias nuevas escogidas.* Probablemente quiso hacer una distinción similar entre *El Tuzaní de la Alpujarra* y *Amar después de la muerte.* En su prólogo a la *Verdadera Quinta parte* alude a la cuestión en los siguientes términos:

> De la Comedia del *Conde Lucanor,* que pongo por suya, y por ajena, hallará el escrupuloso en el cuarto tomo de sus comedias entera satisfacción; y de la de *Amar después de la muerte,* la daré a su tiempo.

Esta «satisfacción» la acabó dando en el prólogo de la *Novena parte,* sin aclarar con ella gran cosa:

> La Comedia de *Amar después de la muerte* (como dejé advertido en la *Verdadera Quinta parte)* la desconoció por suya Don Pedro, no tanto por hallarla con el título del *Tuzaní de la Alpujarra,* cuanto por verla adulterada y diminuta en la impresión.

---

[29] De las otras comedias de la *Quinta parte,* algunas aparecen más arriba en la lista, por haber sido ya publicadas anteriormente en la serie de *Comedias nuevas escogidas* (es el caso de *Darlo todo y no dar nada* y *Amado y aborrecido); y* las dos restantes *(No hay burlas con el amor* y *El jardín de Falerina)* se incluyen en la categoría de las comedias publicadas «en sus partes», habiendo sido ya recogidas por el propio Vera Tassis en la *Verdadera Quinta parte.* Cabe añadir que Vera acabaría corrigiendo el error de haberle negado a Calderón la autoría de *Un castigo en tres venganzas* (o *De un castigo tres venganzas,* como él lo intituló): a partir de su reedición de la *Primera parte* (1685) figura entre las «verdaderas», y recogió el texto de la obra en la *Novena parte.*

Esta explicación no deja de resultar insatisfactoria, sobre todo porque otros textos de la *Quinta parte* se encuentran en un estado igual de lamentable. Algo sabía o sospechaba Vera Tassis respecto a nuestra comedia, o algo le había dicho Calderón —con quien no cabe duda de que tuvo un trato personal, aunque el grado de intimidad que hubo no está del todo aclarado—, por lo que la consideraba un caso especial. Y ese algo ya lo tenía en mente en 1681 o 1682 al redactar los preliminares del primer volumen que sacaba a luz. Con todo, no creo que tuviera, al menos en aquel momento, acceso a un texto hoy perdido. El indicio más claro de ello se encuentra en el prólogo de Vera Tassis a la *Octava parte,* publicada en 1684, donde anuncia sus planes para los volúmenes futuros:

> Las demás [comedias] que en mi poder quedan, están en sus traslados tan inciertas, que hasta conseguir otros más verdaderos, habré de suspender el proseguir en el Noveno Tomo, pasando a repetir en la prensa los cuatro primeros

Si hubiera tenido ya en su posesión un texto aceptable de *Amar después de la muerte,* ¿por qué no lo había editado ya, y por qué incluía la obra entre las comedias que estaban «en sus traslados tan inciertas»? La cuestión se reduce, pues, a si acabó consiguiendo esos «traslados» mejores en los años siguientes, o si acabó optando por enmendar textos como *El Tuzaní de la Alpujarra.* Parece sugerir que sí los consiguió al señalar, en su prólogo a la *Novena parte,* que «ninguna [de las comedias incluidas] la leerás como andaba manuscrita o impresa; porque solicitando unas y otras originales, se ha procurado corregir y ajustar con la mayor legalidad posible esta impresión». Desgraciadamente, el sentido de esta frase no está tan claro como desearíamos, entre otras cosas porque no sabemos a qué se refiere exactamente con el término «originales». Por supuesto, tampoco podemos estar seguros de la fiabilidad de la afirmación.

A todas estas dudas hay que añadir una más. Faltan en el texto de *Amar después de la muerte* dos tiradas de versos que figuran en la segunda jornada de *El Tuzaní de la Alpujarra* y que por su estilo parecen ser originales del autor, por lo que se incluyen en la presente edición (vv. 901-928 y 1133-1158).

¿Cómo puede ser que Vera Tassis —que se quejaba precisamente de que muchas comedias de Calderón estaba «diminutas en la impresión»— no los incluyera en el texto que publicó? Ángel Valbuena Briones ha sugerido que Vera suprimió la primera de estas tiradas para eliminar el anacronismo que supone la referencia a la batalla de Lepanto en el verso 907, pero tal argumento no es aplicable al segundo pasaje omitido, ni explica tampoco por qué mantuvo otra referencia a la misma batalla, en el verso 595[30]. Manuel Ruiz Lagos, partiendo asimismo de la suposición de que ambos pasajes fueron eliminados a conciencia por Vera Tassis, atribuye esta intervención a motivos de «censura ideológica»[31]. Tal hipótesis resulta muy poco plausible. En primer lugar, es difícil ver qué pudo haber encontrado en estos versos que le resultara tan ofensivo o peligroso en 1691 para que se sintiera obligado a suprimirlos. Si se tratara, por ejemplo, de eliminar todo lo que pudiera sonar a críticas a la actuación de la Casa de Austria, hay en la obra pasajes bastante más susceptibles de ser censurados que los comentarios de don Juan de Mendoza, que subrayan precisamente la dificultad de la empresa militar que el joven Austria parece subestimar. En segundo lugar, la hipótesis de Ruiz Lagos no concuerda en absoluto con la actitud habitual de Vera Tassis ante su labor. Vera fue un gran admirador de Calderón y un editor concienzudo. Enmendaba con acierto versos y estrofas corruptos, y corrigió erratas con tino admirable. Si hay algo que se le puede reprochar —aparte de los errores en la biografía de Calderón que incluyó en la *Verdadera Quinta parte*—, es su excesivo celo preciosista al sustituir determinadas palabras por sinónimos que consideraba más cultas o elegantes. Sus intervenciones de este último tipo —que exceden lo que la filología moderna considera lícito, pero no lo que era habitual en su tiempo— han sido señaladas y criticadas por editores modernos, pero, que yo sepa, en ningún otro caso ha sido acusado de practicar una «censura ideológica». Para contemplar la nece-

---

[30] Ángel Valbuena Briones, «La guerra civil de Granada a través del arte de Calderón», en *Calderón y la comedia nueva*, Madrid, Espasa-Calpe, 1977, pág. 208.

[31] En la introducción a su edición de la comedia, Alcalá de Guadaira, Guadalmena, 1998, pág. 59.

sidad de expurgaciones existían además autoridades competentes, a cuya labor no hacía falta anticiparse.

La verdad es que no tenemos por qué suponer que los versos en cuestión fuesen suprimidos por Vera Tassis, ni mucho menos que lo fuesen de mala fe. Su ausencia es acaso precisamente un indicio de que trabajó sobre un texto diferente, en el que faltaran o fuesen ilegibles estos versos. Pueden haber sido omitidos por Calderón en una revisión del texto, o por un copista que lo trasladó para una compañía de teatro. Puede ser que se tacharan para reducir en extensión las intervenciones de don Juan de Mendoza para una representación concreta, quién sabe si para un suplente que tuviera que aprenderse el papel en poco tiempo. Pueden haber sido añadidos posteriormente por Calderón para que se insistiera más en la dificultad de la tarea de don Juan de Austria y por lo tanto para presentar más favorablemente su actuación en Galera. Vera Tassis puede haber tenido razones para dudar de su autenticidad. Ni siquiera se puede descartar una intervención del impresor por algún motivo práctico. Las conjeturas admisibles son tan variadas como lo eran las peripecias que podían sufrir los textos teatrales en el siglo XVII, y tal vez no tiene mucho sentido especular sobre el particular. Lo cierto es que hay muchos casos de comedias que han sobrevivido en diversas versiones de variada extensión —como es el caso de *La devoción de la Cruz* e incluso de *La vida es sueño*—, y no debe extrañar que también haya pasado en el caso de *Amar después de la muerte*.

En conclusión, no tenemos más remedio que aceptar que cierto misterio rodea la transmisión textual de *Amar después de la muerte*. Tantos años pasaron desde que la comedia salió de la pluma de su autor, y tantas vicisitudes pudo haber padecido su texto hasta llegar a las versiones impresas que conocemos, que incluso el cotejo minucioso de variantes no basta para resolver las dudas. Vera Tassis tenía las capacidades para enmendar con buen tino un texto tan defectuoso como el de *El Tuzaní de la Alpujarra;* pero bien pudo haber tenido los medios y las conexiones necesarios para conseguir un texto mejor si lo había. No lo sabemos con seguridad y acaso no lo sabremos nunca.

De las dos versiones de la obra que se han conservado es la de Vera Tassis la que se ha aprovechado, directa o indirectamente, para representaciones y reediciones de la obra, como ha sucedido casi siempre con las comedias de Calderón. Sus ediciones sirvieron de base para las sueltas del siglo XVIII, y fueron las que manejó a mediados del siglo XIX Juan Eugenio Hartzenbusch para sus tomos de comedias de Calderón incluidos en la importantísima colección *Biblioteca de Autores Españoles*. Hartzenbusch añadió acotaciones e introdujo enmiendas a veces acertadísimas, pero también algunas innecesarias e, inevitablemente, cierto número de erratas. Las prestigiosas ediciones de Hartzenbusch sustituyeron a las de Vera Tassis como fuente de casi todas las ediciones posteriores, y sobre ellas hizo las suyas Astrana Marín, por más que afirmara éste, en el prólogo a su edición de las *Obras completas* (1932), haber «realizado un cotejo escrupuloso entre las cuatro primitivas partes de nuestro poeta, las ediciones de varias, las sueltas y la impresión de Vera Tassis».

Fue Ángel Valbuena Briones el primero en tener en cuenta el texto de la *Quinta parte* al incluir la comedia en su edición de las *Obras completas* hace medio siglo. Partiendo del texto publicado por Hartzenbusch, interpoló numerosas variantes de *El Tuzaní de la Alpujarra* —entre ellas, las dos tiradas de versos que faltan en *Amar después de la muerte*— y le puso el ecuánime título de *Amar después de la muerte o El Tuzaní de la Alpujarra*. La afirmación que aparece en su prólogo de que la obra «fue impresa en la *Quinta parte de Comedias de Calderón*» puede dar pie a malentendidos, ya que da la errónea impresión de que éste le sirviera de texto base para su edición.

Siguió por la misma senda Manuel Ruiz Lagos, que hizo su edición anotada (Alcalá de Guadaira, Guadalmena, 1998) sobre la de Valbuena Briones, pero introduciendo aún más variantes de la *Quinta parte* y optando decididamente por el título de *El Tuzaní de la Alpujarra*. Ruiz Lagos no parece haber acudido directamente a la edición de Vera Tassis, a la que se refiere con desprecio, ni haberse percatado de que el texto que publicaba deriva sustancialmente de ella, aunque indirectamente a través de dos intermediarios. Algo similar se puede decir de la edición posterior y recortada de Alfredo Rodríguez López-Vázquez (*El Tuzaní de la Alpujarra o Amar después de la muerte*, Hondarribia, Hiru, 2001), quien afirma en su prólogo «proponer una edición, un texto, que descarta el texto transmitido clásicamente a través de la edición madrileña, para volver al texto de Antonio de la Cavallería (Barcelona, 1677), con variantes sustanciales», pero que en realidad se basó en la edición de Ruiz Lagos, como demuestran las erratas compartidas (por ejemplo, «siempre, e saber de vonenos», pág. 79, o «a la presa se amansaban», pág. 81).

Se puede concluir que las ediciones recientes de la obra —que con buenos motivos ofrecen un texto híbrido, incorporando dos pasajes que sólo figuran en *El Tuzaní de la Alpujarra*— han creado cierta confusión sobre la transmisión textual y sobre los respectivos méritos de las versiones conservadas de la comedia. El hecho es que el texto de *Amar después de la muerte* es, por lo general, indiscutiblemente mejor que el de *El Tuzaní de la Alpujarra*, y que sería absurdo tomar éste como base para una edición.

EL TÍTULO

De entrada hay que pensar que si el texto de Vera Tassis es, en líneas generales, el más convincente de los dos que se han conservado, cabe decir lo mismo del título que le puso. El penúltimo verso confirma además explícitamente que la obra se llama *Amar después de la muerte,* aunque hay que señalar que en la *Quinta parte* este verso reza «amor después de la muerte», y que también en el verso 2366 se habla de «amor» (sustantivo) y no de «amar» (verbo) después de la muerte.

Como hemos visto, en la *Quinta parte* la comedia se intitula —en la ortografía original— *El Tuzaní del Alpuxarra* o, según la tabla de contenidos de la edición de «Madrid», *El Tuzani de las Alpujarras.* El hecho en sí no tiene nada de insólito. No era infrecuente en las ediciones espurias de la época que se cambiaran los títulos de las comedias: *El garrote más bien dado (El alcalde de Zalamea), Nunca lo peor es cierto (No siempre lo peor es cierto), Vengarse con fuego y agua (A secreto agravio, secreta venganza), La cruz en la sepultura (La devoción de la cruz)* o *Los empeños que se ofrecen (Los empeños de un acaso),* por citar tan sólo unos ejemplos de obras de Calderón. En la misma *Quinta parte* aparece una comedia suya con el título de *La crítica del amor* y cuyo título original es sin lugar a duda *No hay burlas con el amor,* confirmando la escasa fiabilidad de dicho volumen en este sentido.

Una afirmación del propio Calderón, en el prólogo a sus *Autos* antes citado, parece corroborar que *El Tuzaní de la Alpujarra* no es el título que puso él a la comedia. Cuatro de las diez comedias recogidas en la *Quinta parte* —dice— no son suyas: afirmación a primera vista un tanto extraña, ya que en realidad son sólo dos las comedias incluidas que no fueron escritas por él, pero que cobra sentido si suponemos que Calderón se refería no a las obras en sí, sino a los títulos, ya que, efectivamente, sólo seis de las diez comedias de la *Quinta parte* llevan el título por el que habitualmente se conocen y que podemos creer que los puso Calderón.

Parece oportuno citar aquí de nuevo, por la referencia que contienen al título, las palabras de Vera en el prólogo de la *Novena parte:* «la comedia *Amar después de la Muerte* la desconoció por suya Don Pedro, no tanto por hallarla con el título de *El Tuzaní de la Alpujarra,* cuanto por verla adulterada y diminuta en la impresión». No tenemos pruebas documentales que sustenten esta afirmación, pero recordemos que Vera Tassis, como contemporáneo y conocido de Calderón, pudo saber cosas —acaso de la boca del propio autor— que nosotros no sabemos. En su lista de comedias «verdaderas» antes citada, corrigió los títulos con los que varias comedias figuraban en los índices que citaba: sustituyó así *Nunca lo peor es cierto* por *No siempre lo peor es cierto* y *No guardas tú tu secreto* por *Nadie fíe su secreto.* A primera vista puede haberse basado en los versos finales de las comedias en cuestión, que son *casi* siempre una guía fiable (una excepción sería *La gran Cenobia,* que se publicó con este título en la *Primera parte de Comedias* de Calderón, y que según su penúltimo verso se intitula *La hermosura desdichada).* Sin embargo, corrigió *El garrote más bien dado* como *El alcalde de Zalamea,* sin que esta comedia tenga alusión alguna a su título en los versos finales; y al corregir *El Tuzaní de la Alpujarra/las Alpujarras* como *Amar después de la muerte,* no pudo haber estado copiando el penúltimo verso del texto de la *Quinta parte,* precisamente porque éste da la variante «Amor» en vez de «Amar».

Si a esto añadimos que las palabras «Amar después de la muerte» —como la mayoría de los títulos de Calderón y a diferencia de «El Tuzaní de la Alpujarra»— constituyen un octosílabo perfecto, quedan pocos argumentos a favor de este último título. No obstante, puede traerse a colación un documento interesante publicado en 1684 por Gaspar Agustín de Lara en el prólogo a su ilegible *Obelisco fúnebre, pirámide funesta a la inmortal memoria de don Pedro Calderón de la Barca*. Según Lara, se trata de una copia de una carta original de Calderón fechada el 24 de julio de 1680 y escrita a instancias del Duque de Veragua, que le solicitaba una nómina completa de sus comedias. La carta parece ser auténtica. En cambio, la lista de comedias que la acompaña, y en la que figura el título *El Tuzaní de la Alpujarra*, parece haber sido proporcionada por el propio Duque de Veragua y luego rubricada y acaso completada por Calderón. Los títulos de las primeras 55 comedias que se mencionan en ella fueron sin duda copiados de las cinco *Partes* que poseía el Duque, ya que siguen fielmente el orden de publicación (el propio Duque afirma en su carta adjuntar una «memoria de todas las que ahora tengo en cinco partes, que corren en nombre de suyas»). Parece probable, pues, que Calderón se limitó a señalar en la memoria que le mandó el Duque las comedias que sabía eran suyas, sin preocuparse, ya a sus ochenta años, por el título con el que circulaban.

Hay que señalar, finalmente, que no era raro en la España del Siglo de Oro que se acabara sustituyendo el título original de una obra literaria por el nombre de su protagonista o personaje más memorable. El antecedente más célebre es, por supuesto, la *Tragicomedia de Calisto y Melibea*, que no tardó mucho en ser conocida como *La Celestina*. Ya señalamos que *La gran Cenobia*, del propio Calderón, parece haber sido concebida con el título de *La hermosura desdichada*. Algunas traducciones tempranas de *La vida es sueño* llevan un título análogo a *Segismundo, príncipe de Polonia*. En este sentido es ilustrativa la referencia documental de 1659 a «la [comedia] del Tuzaní» que citamos antes. Como *El caballero de Olmedo* o *El burlador de Sevilla, Amar después de la muerte* es una comedia muy centrada en la figura del protagonista, y no sorprende que su nombre se usara para referirse a la obra, si bien el añadido «de la Alpujarra» es un tanto desafortunado, siendo don Álvaro Tuzaní oriundo no de la Alpujarra, sino de la ciudad de Granada.

Sea como fuere, cabe pensar que el título de una obra literaria apenas orienta al lector u oyente hacia una valoración o interpretación determinada. Más que un elemento estético integrado en la obra es algo en cierto modo ajeno a ella, cuya función principal es permitir su fácil identificación. En este sentido, el hecho de que la comedia haya sido conocida y editada durante más de tres siglos como *Amar después de la muerte* es un argumento más para no empeñarse en adoptar el título usado en la *Quinta parte* sin tener buenos motivos para ello; pero si el uso acaba imponiendo «el *Tuzaní*», tampoco debe preocupar a nadie.

Esta edición

Con todas las inseguridades que rodean la transmisión textual de *Amar después de la muerte,* lo más sensato es dar prioridad al texto más satisfactorio en términos estéticos. Por ello, esta edición parte del texto publicado por Vera Tassis en la *Novena parte de Comedias,* pero introduciendo en él las dos tiradas de versos de la jornada segunda que sólo figuran en *El Tuzaní de la Alpujarra,* así como unas cuantas variantes más.

Se moderniza la ortografía como se acostumbra hacer con textos de esta índole, haciendo excepción sólo para los casos que influyen en la rima *(efeto, conceto,* etc.) o en el cómputo silábico (Vera Tassis emplea unas veces *aora,* bisilábico, y otras *agora,* trisilábico, por ejemplo). Se trata con libertad la errática puntuación del siglo XVII, que no se corresponde a las normas actuales ni a ninguna norma claramente perceptible. Se introduce una sangría al principio de cada estrofa, y se numeran los versos. Cualquier otra intervención en el texto va entre corchetes.

La anotación del texto no se limita a problemas textuales, sino que pretende aclarar el sentido de pasajes difíciles y, en términos más generales, eliminar cualquier obstáculo con que pudiera toparse el lector actual para comprender el texto. Allí donde parece de especial interés, se indican también las relaciones con los hechos históricos o, al menos, con la versión que de ellos dan las fuentes que pudo consultar Calderón[32].

---

[32] Quiero agradecer a todas las personas que han contribuido con sus comentarios y su apoyo a la preparación de esta edición: Carlos Alvar, Ignacio Arellano, Julia Barella, Javier Huerta, José Manuel Pedrosa, Esther Rojas, José Ignacio Ruiz y, muy especialmente, Carmen Valdés, cuyas correcciones espero hayan conseguido disimular la torpeza de mi español de extranjero.

Siglas utilizadas

Ediciones

TA   *El Tuzaní de la Alpujarra,* en *Quinta parte de Comedias de Don Pedro Calderón de la Barca,* ediciones de Barcelona, Antonio la Cavallería, y de Madrid, Antonio de Zafra, 1677.

TA(B)   *El Tuzaní de la Alpujarra,* en *Quinta parte de Comedias de Don Pedro Calderón de la Barca,* Barcelona, Antonio la Cavallería, 1677 (sólo cuando no coincide con TA(M)).

TA(M)   *El Tuzaní de la Alpujarra,* en *Quinta parte de Comedias de Don Pedro Calderón de la Barca,* Madrid, Antonio Zafra, 1677 (sólo cuando no coincide con TA(B)).

VT   *Amar después de la muerte,* en *Novena parte de comedias del célebre poeta español don Pedro Calderón de la Barca,* edición de Juan Vera Tassis y Villarroel, Francisco Sanz, 1691.

H   *Amar después de la muerte,* en *Comedias de Don Pedro Calderon de la Barca, III,* edición de Juan Eugenio Hartzenbusch, Madrid, Rivadeneyra (BAE 12), 1849.

VB   *Amar después de la muerte,* en Calderón, *Obras completas, II: Dramas,* edición de Ángel Valbuena Briones, Madrid, Aguilar, 1969.

RL   *El Tuzaní de la Alpujarra,* edición de Manuel Ruiz Lagos, Alcalá de Guadaira, Guadalmena, 1998.

Otras obras de Calderón

OC   *Obras completas,* 3 vols., edición de Ángel Valbuena Briones, Madrid, Aguilar, segunda edición (I: *Comedias;* II: *Dramas;* III: *Autos sacramentales),* 1987.

Diccionarios y otras obras de consulta

Cov.   Sebastián de Covarrubias, *Tesoro de la lengua castellana o española, según la impresión de 1611, con las adiciones de Benito Remigio Noydens publicadas en 1674,* edición de Martín de Riquer, Barcelona, Horta, 1943.

Aut.   *Diccionario de Autoridades de la Real Academia Española,* 3 vols., Madrid, Francisco del Hierro, 1726-1737, edición facsímil, Madrid, Gredos, 1976.

Cor.   J. Corominas, *Diccionario crítico etimológico de la lengua castellana,* 4 vols., Madrid, Gredos, 1954.

DRAE   *Diccionario de la Real Academia Española,* vigésima primera edición, 2 vols., Madrid, Espasa-Calpe, 1992.

Sinopsis de la versificación

Bibliografía

Ediciones

El Tuzani del Alpuxarra, en *Quinta parte de Comedias de D. Pedro Calderón de la Barca* [1677], edición facsímil de la edición supuestamente impresa en Barcelona por Antonio de Lacavallería, preparada por D. W. Cruickshank y J. E. Varey, en *The Comedias of Calderón*, vol. XII, Londres, Tamesis, 1973.

El Tuzani del Alpuxarra, en *Quinta parte de las Comedias de D. Pedro Calderón de la Barca* [1677], edición facsímil de la edición de Madrid, Antonio de Zafra, preparada por D. W. Cruickshank y J. E. Varey, en *The Comedias of Calderón*, vol. XIII, Londres, Tamesis, 1973.

Amar despues de la muerte, en *Novena parte de comedias del célebre poeta español don Pedro Calderón de la Barca que, nuevamente corregidas, publica don Juan Vera Tassis y Villarroel* [1691], Madrid, Francisco Sanz, edición facsímil preparada por D. W. Cruickshank y J. E. Varey, en *The Comedias of Calderón*, vol. XVIII, Londres, Tamesis, 1973.

Amar después de la muerte, Barcelona, Francisco Suriá, 1766.

Amar después de la muerte, en *Las comedias de Pedro Calderón de la Barca, cotejadas con las mejores ediciones hasta ahora publicadas, corregidas y dadas á luz por Juan Jorge Keil*, IV, Leipsique, Ernesto Fleischer, 1830.

Amar después de la muerte, en *Comedias de Don Pedro Calderón de la Barca: edición más completa que todas las anteriores, hecha e ilustrada por Juan Eugenio Hartzenbusch*, III, Madrid, Rivadeneyra (BAE 12), 1849.

Amar después de la muerte, en *Obras completas. Textos íntegros según las primeras ediciones y los manuscritos autógrafos que saca a luz Luis Astrana Marín*, Madrid, s. n., 1932.

Amar después de la muerte o El Tuzaní de la Alpujarra, en *Obras completas, II: Dramas,* edición de Ángel Valbuena Briones, Madrid, Aguilar, 1969.

El Tuzaní de la Alpujarra, ed. de Manuel Ruiz Lagos, Alcalá de Guadaira, Guadalmena, 1998.

El Tuzaní de la Alpujarra o Amar después de la muerte, con prólogo de José Alcalá-Zamora y Queipo de Llano, Madrid, Marcial Pons, 1999.

El Tuzaní de la Alpujarra o Amar después de la muerte, edición y adaptación de Alfredo Rodríguez López-Vázquez, Hondarribia, Hiru, 2001.

Amar después de la muerte, adaptación de Yolanda Pallín, Madrid, Compañía Nacional de Teatro Clásico, 2005.

OTRAS FUENTES PRIMARIAS

CABRERA DE CÓRDOBA, Luis, *Historia de Felipe II, Rey de España* [1619], edición de J. Martínez Millán y C. J. de Carlos Morales, 4 vols., Salamanca, Junta de Castilla y León, 1998.

CALDERÓN DE LA BARCA, Pedro, *Autos sacramentales, alegóricos e historiales,* I, Madrid, Joseph Fernandez de Buendia, 1677.

— *Obras completas,* 3 vols., edición de Ángel Valbuena Briones, Madrid, Aguilar, 2.ª ed., 1987.

HURTADO DE MENDOZA, Diego, *Guerra de Granada* [publ. 1627], edición de B. Blanco-González, Madrid, Castalia, 1970.

LARA, Gaspar Agustín de, *Obelisco funebre, pyramide funesto que construia a la inmortal memoria de D. Pedro Calderón de la Barca,* Madrid, Eugenio Rodríguez, 1684.

MÁRMOL CARVAJAL, Luis de, *Rebelión y castigo de los moriscos del Reino de Granada* [1600], edición facsímil del texto publicado en *Historiadores de sucesos particulares,* Madrid, Ribadaneyra (BAE), s.f., págs. 123-365, con introducción de Ángel Galán, Málaga, Arguval, 2004.

PÉREZ DE HITA, Ginés, *La guerra de los moriscos* (segunda parte de *Las guerras civiles de Granada)* [1619], edición facsímil de la edición de Paula Blanchard-Demouge (1915), estudio preliminar e índices de Joaquín Gil Sanjuán, Granada, Universidad, 1998.

RUFO, Juan, «La Austríada», en *Poemas épicos II,* colección dispuesta y revisada, con un prólogo y un catálogo por D. Cayetano Rosell, Madrid, Atlas (BAE 29), 1948.

VEGA, Lope de, *Arte nuevo de hacer comedias,* edición de Enrique García Santo-Tomás, Madrid, Cátedra, 2006.

ALCALÁ-ZAMORA Y QUEIPO DE LLANO, J., «Individuo e historia en la estructura teatral de *El Tuzaní de la Alpujarra*», en *Calderón. Actas del «Congreso Internacional sobre Calderón y el teatro español del Siglo de Oro» (1981),* ed. L. García Lorenzo, Madrid, CSIC, 1983, págs. 343-363.

ALONSO, D., «La correlación en el teatro de Calderón», en *Calderón y la crítica: historia y antología,* en M. Durán y R. G. Echeverría (eds.), Madrid, Gredos, 1976, II, págs. 388-454.

ARATA, S., «Pedro Crespo y la pata coja de Lope de Figueroa», en *Calderón 2000. Homenaje a Kurt Reichenberger en su 80 cumpleaños (Actas del Congreso Internacional, IV Centenario del nacimiento de Calderón, Universidad de Navarra, septiembre, 2000),* 2 vols., ed. I. Arellano, Kassel, Reichenberger, 2002, I, págs. 3-20.

AUBRUN, C. V., *«Amar después de la muerte»,* en *Hacia Calderón. VIII Coloquio Anglogermano. Bochum (1987),* ed. H. Flasche, Stuttgart, Franz Steiner Verlag, 1988, págs. 207-211.

BARRERA Y LEIRADO, C. A. de la, *Catálogo bibliográfico y biográfico del teatro antiguo español: desde sus orígenes hasta mediados del siglo XVIII* [1860], edición facsímil, Madrid, Gredos, 1969.

BRUNO BERG, W., «La crueldad en el teatro de Calderón», en *Calderón 2000. Homenaje a Kurt Reichenberger en su 80 cumpleaños (Actas del Congreso Internacional, IV Centenario del nacimiento de Calderón, Universidad de Navarra, septiembre, 2000),* 2 vols., ed. I. Arellano, Kassel, Reichenberger, 2002, I, págs. 227-241.

BURCKHARDT, T., *La civilización hispano-árabe* [1970], versión española de R. Kuhne Brabant, Madrid, Alianza, 1992.

CARDAILLAC-HERMOSILLA, Y., «El moro y el teatro de Calderón: *El gran príncipe de Fez*», en *Calderón 2000. Homenaje a Kurt Reichenberger en su 80 cumpleaños (Actas del Congreso Internacional, IV Centenario del nacimiento de Calderón, Universidad de Navarra, septiembre, 2000),* 2 vols., ed. I. Arellano, Kassel, Reichenberger, 2002, II, págs. 93-109.

CARO BAROJA, *Los moriscos del reino de Granada,* 2.ª ed. (1976), reedición con prólogo de Francisco J. Flores Arroyuelo, Madrid, Alianza, 2003.

CARRASCO URGOITI, M. S., *El moro de Granada en la literatura (Del siglo XV al XX)* [1956], edición facsímil con estudio preliminar de J. Martínez Ruiz, Granada, Universidad, 1989.

— «Presencia y eco del romance morisco en comedias de Calderón (1629-1639)», en *Calderón. Actas del «Congreso Internacional sobre*

71

Calderón y el teatro español del Siglo de Oro» (1981), ed. L. García Lorenzo, Madrid, CSIC, 1983, págs. 855-867.

— «Variantes de las comedias de moros», en *Actas del IV Congreso Internacional de la AISO*, 2 vols., ed. M. C. García de Enterría, Alcalá de Henares, Universidad, 1998, págs. 363-370.

CASE, T. E., «Consideraciones sobre *Amar después de la muerte* de Pedro Calderón de la Barca», en *Segismundo*, 37-38 (1983), páginas 37-48.

— «Honour, Justice and Historical Circumstance in *Amar después de la muerte*», en *Bulletin of the Comediantes*, 36 (1984), págs. 55-69.

CASO GONZÁLEZ, J. M., «Calderón y los moriscos de las Alpujarras», en *Calderón. Actas del «Congreso Internacional sobre Calderón y el teatro español del Siglo de Oro» (1981)*, ed. L. García Lorenzo, Madrid, CSIC, 1983, págs. 393-402.

COENEN, E., «Juan de Vera Tassis, editor de Calderón: el caso de *Amar después de la muerte*», en *Revista de Filología Española*, LXXXVI (2006), págs. 245-257.

— «Las fuentes de *Amar después de la muerte*», en *Revista de Literatura*, LXIX (2007), págs. 467-485.

— «Calderón y la guerra: del *Sitio de Bredá* al Sitio de Galera», en *Nueva Revista de Filología Hispánica*, LVI (2008/1).

— «Rayos y truenos: una metáfora predilecta de Calderón y su peculiar modo de aplicarla», pendiente de publicación en *Dicenda*.

COTARELO Y MORI, E., *Ensayo sobre la vida y obras de D. Pedro Calderón de la Barca* [1924], edición facsímil al cuidado de I. Arellano y J. M. Escudero, Madrid, Iberamericana, 2001.

CRUICKSHANK, D. W., «The textual criticism of Calderón's *comedias*: a survey», en D. W. Cruickschank y J. E. Varey (eds.), *The Comedias of Calderón*, I, Londres, Tamesis, 1973, págs. 1-36.

— «The two editions of Calderón's *Quinta parte* (1677)», en D. W. Cruickschank y J. E. Varey (eds.), *The Comedias of Calderón*, I, Londres, Tamesis, 1973, págs. 201-210.

— «La crítica discreta del poder en la obra calderoniana de la primera época», en *Ayer y hoy de Calderón: Actas Seleccionadas del Congreso Internacional celebrado en Ottawa del 4 al 8 de octubre de 2000*, ed. J. M. Ruano de la Haza y J. P. Magallón, Madrid, Castalia, 2002, págs. 95-105.

CRUZ, A. J., «"Corazón alarbe": Los moriscos, el código de honor y la crítica de la guerra en *Amar después de la muerte*», en *Calderón 2000. Homenaje a Kurt Reichenberger en su 80 cumpleaños (Actas del Congreso Internacional, IV Centenario del nacimiento de Calderón, Universidad de Navarra, septiembre, 2000)*, 2 vols., ed. I. Arellano, Kassel, Reichenberger, 2002, II, págs. 121-132.

CRUZADA VILLAAMIL, G., «Datos inéditos que dan a conocer la cronología de las comedias representadas en el reinado de Felipe IV, en los sitios reales, en el Alcázar de Madrid, Buen Retiro y otras partes, sacados de los libros de gastos y cuadernos de nóminas de aquella época que se conservan en el Archivo del Palacio de Madrid», en *El Averiguador,* 1871, tomo I, págs. 9-11, 25-27, 73-75, 106-108, 123-125, 170-172 y 201-202.

DAVIS, Ch. y VAREY, J. E., *Actividad teatral en la región de Madrid según los protocolos de Juan García de Albertos, 1634-1660: estudio y documentos,* 2 vols., Londres, Tamesis, 2003.

DELGADO MORALES, M., «*Amar después de la muerte* y la "imprudencia" del castigo de los moriscos de Granada», en *Palabra crítica: estudios en homenaje a José Amezcua,* ed. S. González y L. von der Walde, Méjico, UAM, 1997, págs. 169-180.

DOMÍNGUEZ ORTIZ, A. y VINCENT, B., *Historia de los moriscos,* Madrid, Alianza, 1978.

DURÁN, M. y ECHEVERRÍA, R. G. (eds.), *Calderón y la crítica: historia y antología,* 2 vols., Madrid, Gredos, 1976.

FERNÁNDEZ FERNÁNDEZ, J. y GARCÍA RODRÍGUEZ, J. M., *Galera. Treinta y cinco siglos de historia,* Baza, s.n., 2000.

FRADEJAS LEBRERO, J., «Musulmanes y moriscos en el teatro de Calderón», en *Tamuda,* IV (1957), págs. 185-228.

GARRAD, K., «The original *Memorial* of D. Francisco Núñez Muley», en *Atlante,* II (1954), págs. 198-226.

GRILLI, G., «La otredad de *Amar después de la muerte*», en *Calderón 2000. Homenaje a Kurt Reichenberger en su 80 cumpleaños (Actas del Congreso Internacional, IV Centenario del nacimiento de Calderón, Universidad de Navarra, septiembre, 2000),* ed. I. Arellano, Kassel, Reichenberger, 2002, II, págs. 207-218.

HESSE, E. W., *Vera Tassis' Text of Calderón's Plays,* tesis doctoral, Nueva York, 1941.

— «The Publication of Calderón's Plays in the Seventeenth Century», en *Philological Quarterly,* XXVII (1948), págs. 37-51.

HILBORN, H. W., *A Chronology of the Plays of D. Pedro Calderón de la Barca,* Toronto, University Press, 1938.

LAPESA, R., «Lenguaje y estilo de Calderón», en *Estudios sobre Calderón,* ed. J. A. Maydeu, Madrid, Istmo, 2000, págs. 223-289.

MARÍN, D., «Función dramática de la versificación en el teatro de Calderón», en *Calderón. Actas del «Congreso Internacional sobre Calderón y el teatro español del Siglo de Oro» (1981),* 3 vols., ed. L. García Lorenzo, Madrid, CSIC, 1983, II, págs. 1139-1146.

MÁRQUEZ VILLANUEVA, F., *El problema morisco (desde otras laderas),* Madrid, Libertarias, 1991.

Martín García, J. M., *Íñigo López de Mendoza, el conde de Tendilla,* Granada, Comares, 2003.

Menéndez Pelayo, M., *Estudios y discursos de crítica histórica y literaria,* III, edición preparada por E. Sánchez Reyes, Santander, CSIC, 1941.

Moll, J., «Sobre la edición atribuida a Barcelona de la *Quinta parte de Comedias* de Calderón», separata del *Boletín de la RAE,* tomo LIII, cuaderno 198, 1973.

Nader, H., *The Mendoza Family in the Spanish Renaissance,* New Jersey, Rutger University Press, 1979.

Profeti, M. G., *Per una bibliografia di J. Pérez de Montalbán,* Verona, Università, 1976.

Regalado, A., *Calderón. Los orígenes de la modernidad en la España del Siglo de Oro,* tomo I, Barcelona, Destino, 1995.

Reichenberger, K. y Reichenberger, R., *Bibliographisches Handbuch der Calderón-Forschung,* vol. I, Kassel, Thiele & Schwartz, 1979.

Romanos, M., «Ficción y realidad histórica en *El Tuzaní de la Alpujarra* o *Amar después de la muerte* de Pedro Calderón de la Barca», en *Calderón: Protagonista eminente del barroco europeo,* ed. K. Reichenberger, Kassel, Reichenberger, 2000, págs. 355-372.

Ruiz Lagos, M., «*El Tuzaní de la Alpujarra* o la singularidad de la memoria histórica», estudio preliminar de su edición de *El Tuzaní de la Alpujarra,* ed. cit., págs. 17-72.

Santos Domínguez, L. A., «El lenguaje teatral del morisco», en *Boletín de la Biblioteca Menéndez Pelayo,* 63 (1987), págs. 5-16.

Shergold, N. D., «Calderón and Vera Tassis», en *Hispanic Review,* XXIII (1955), págs. 112-118.

Sieber, D. E., «El monstruo en su laberinto: cristianos en las Alpujarras de *Amar después de la muerte*», en *Actas del XIII Congreso de la Asociación Internacional de Hispanistas, Madrid 1998,* ed. F. Sevilla y C. Alvar, Madrid, Castalia, 2000, I, págs. 740-746.

Sloman, A. E., «The Phonology of Moorish Jargon in the Work of Early Spanish Dramatists and Lope de Vega», en *Modern Language Review,* XLIV (1949), págs. 207-214.

Toro y Gisbert, M. de, «¿Conocemos el texto verdadero de las comedias de Calderón?», en *BRAE,* V, V (octubre de 1918).

Valbuena Briones, A., *Calderón y la comedia nueva,* Madrid, Espasa-Calpe, 1977.

Walzer, H., «Los moriscos de *Amar después de la muerte*», en *Ayer y hoy de Calderón. Actas seleccionadas del Congreso Internacional celebrado en Ottawa del 4 a 8 de octubre de 2000,* ed. J. M. Ruano de la Haza y J. P. Magallón, Madrid, Castalia, 2002, páginas 133-145.

WILSON, E. M. y SAGE, J., *Poesías líricas en las obras dramáticas de Calderón,* Londres, Tamesis, 1964.

WILSON, M., «"Si África llora, España no ríe": A Study of Calderón's *Amar después de la muerte* in Relation to its Source», en *Bulletin of Hispanic Studies,* LXI (1984), págs. 419-425.

WOODBRIDGE, H. Ch., *Spanish Nautical Terms of the Age of Discovery,* Urbana (Illinois), s. n., 1950.

Amar después de la muerte

PERSONAS QUE HABLAN EN ELLA

DON ÁLVARO TUZANÍ.
DOÑA ISABEL TUZANÍ.
DON JUAN MALEC, viejo.
DOÑA CLARA MALEC.
DON JUAN DE MENDOZA.
EL SEÑOR DON JUAN DE AUSTRIA.
DON FERNANDO DE VÁLOR.
DON LOPE DE FIGUEROA.
DON ALONSO DE ZÚÑIGA.
ALCUZCUZ, morisco.
CADÍ, morisco viejo.
BEATRIZ, criada.
INÉS, criada.
GARCÉS, soldado.
[UN CRIADO]
[MORISCOS Y MORISCAS]
[SOLDADOS]

Jornada primera

(Salen todos los MORISCOS *que pudieren, vestidos a lo morisco, ca-*
saquillas y calzoncillos, y las MORISCAS *jubones blancos, con*
instrumentos, y CADÍ *y* ALCUZCUZ.)

CADÍ	¿Están cerradas las puertas?
ALCUZCUZ	Ya el portas estar cerradas.
CADÍ	No entre nadie sin la seña
	y prosígase la zambra.
	Celebremos nuestro día, 5
	que es el viernes, a la usanza
	de nuestra nación, sin que
	pueda esta gente cristiana
	(entre quien vivimos hoy
	presos en miseria tanta) 10
	calumniar ni reprender
	nuestras ceremonias.
TODOS	¡Vaya!
ALCUZCUZ	Mé pensar hacer astilias
	se también entrar en danza.
[UNO] *(Canta.)*	*Aunque en triste cautiverio,* 15
	de Alá por justo misterio,
	llore el africano imperio
	su mísera suerte esquiva.
TODOS	*¡Su ley viva!*

---

4 *zambra:* 'Dança morisca. En rigor zambra vale tanto como música de so-
plo o silvo, podque [*sic*] se dança al son de dulçaynas y flautas' *(Cov.).*

[Uno] *(Canta.)* *Viva la memoria extraña*   20
de aquella gloriosa hazaña
que en la libertad de España
a España tuvo cautiva.
Todos   *¡Su ley viva!*
Alcuzcuz   *Viva aquel escaramuza*   25
que hacer el jarife Muza,
cuando darle en caperuza
al españolilio altiva.
Todos   *¡Su ley viva!*

   (Llaman dentro muy recio.)

Cadí   ¿Qué es esto?
Uno   Las puertas rompen.   30
Cadí   Sin duda cogernos tratan
en nuestras juntas; que como
el rey por edictos manda
que se veden, la justicia,
viendo entrar en esta casa   35
a tantos moriscos, viene
siguiéndonos. *(Llaman.)*
Alcuzcuz   Pues ya escampa.
Malec   ¿Cómo os tardáis en abrir *(Dentro.)*
a quien desta suerte llama?
Alcuzcuz   En vano llama a la puerta   40
quien no ha llamado en el alma.

---

26 *el jarife Muza:* Musa ibn Nusayr, gobernador árabe («jarife» o «jerife») del noroeste de África, cuyo ejército desembarcó en Hispania en agosto de 712, siguiendo la invasión inicial liderada por su lugarteniente beréber Tariq en 711.

28 *altiva:* adopto la lectura de TA, que mantiene la rima consonante, coincidiendo en esto con las otras estrofas de la canción. VT da «antigua».

38-39 *¿Cómo os tardáis en abrir / a quien desta suerte llama:* VT atribuye estas palabras al Cadí, pero resulta más convincente suponer que las diga Malec, como en TA.

40-41 *En vano llama a la puerta / quien no ha llamado en el alma:* guiño de Calderón a Lope de Vega, que incluyó estos versos en la jornada tercera de *¡Ay, verdades, que en amor...!*

UNO	¿Qué haremos?	
CADÍ	Esconder todos	
	los instrumentos, y abran	
	diciendo que sólo a verme	
	vinisteis.	
OTRO	Muy bien lo trazas.	45
CADÍ	Pues todos disimulemos.	
	Alcuzcuz, corre: ¿qué aguardas?	
ALCUZCUZ	Al abrir del porta, temo	
	que ha de darme con la estaca	
	cien palos el alguacil	50
	en barriga, e ser desgracia	
	que en barriga de Alcuzcuz	
	el leña, y no alcuzcuz haya.	

(Abre ALCUZCUZ, *y sale* DON JUAN MALEC.)

MALEC	No os receléis.	
CADÍ	Pues, señor	
	don Juan, cuya sangre clara	55
	de Malec os pudo hacer	
	veinticuatro de Granada,	
	aunque de africano origen,	
	¿vos desta suerte en mi casa?	
MALEC	Y no con poca ocasión	60
	hoy vengo buscándoos: basta	
	deciros que a ella me traen	
	arrastrando mis desgracias.	
CADÍ	Él sin duda a reprendernos *(Aparte.)*	
	viene.	
ALCUZCUZ	Eso no perder nada,	65
	¿prender no fuera peor	
	que reprendernos?	

---

48 *Al abrir:* adopto la enmienda de Hartzenbusch. VT da «El abril».

57 *veinticuatro:* nombre que se daba a los regidores de las ciudades andaluzas, por haber veinticuatro de ellos en cada ciudad. El Jerónimo el Maleh histórico, del que deriva la figura de don Juan Malec, no fue veinticuatro de Granada, pero sí lo fue Fernando de Válor, el futuro Abén Humeya.

CADÍ ¿Qué mandas?
MALEC Reportaos todos, amigos,
del susto que el verme os causa.
Hoy entrando en el cabildo, 70
envïó desde la sala
del rey Felipe segundo
el presidente una carta,
para que la ejecución
de lo que por ella manda 75
de la ciudad quede a cuenta.
Abrióse, empezó en voz alta
a leerla el secretario
del cabildo; y todas cuantas
instrucciones contenía, 80
todas eran ordenadas
en vuestro agravio. ¡Qué bien
pareja del tiempo llaman
a la fortuna, pues ambos
sobre una rueda y dos alas, 85
para el bien o para el mal,
corren siempre y nunca paran!
Las condiciones, pues, eran
algunas de las pasadas
y otras nuevas, que venían 90
escritas con más instancia,
en razón de que ninguno
de la nación africana,
que hoy es caduca ceniza
de aquella invencible llama 95
en que ardió España, pudiese
tener fiestas, hacer zambras,
vestir sedas, verse en baños,
ni oírse en alguna casa

70-76 *Hoy entrando ... a cuenta*: en efecto, la pragmática fue comunicada primero al presidente del cabildo de Granada antes de pregonarse el 1 de enero
de 1567, dato que Calderón sólo pudo haber sacado de Mármol Cárvajal (II, 5).

89 *algunas de las pasadas*: el edicto de 1567 fue básicamente una confirma-
ción de otros anteriores, pero esta vez se iba a insistir en que se cumpliera.

hablar en su algarabía,   100
sino en lengua castellana.
Yo, que por el más antiguo
el primero me tocaba
hablar, dije que aunque era
ley justa y prevención santa   105
ir haciendo poco a poco
de la costumbre africana
olvido, no era razón
que fuese con furia tanta;
y así, que se procediese   110
en el caso con templanza,
porque la violencia sobra
donde la costumbre falta.
Don Juan, don Juan de Mendoza,
deudo de la ilustre casa   115
del gran Marqués de Mondéjar,
dijo entonces: —Don Juan habla
apasionado, porqué
naturaleza le llama
a que mire por los suyos,   120
y así, remite y dilata

---

116 *el gran Marqués de Mondéjar:* parece lógico suponer que se trata del tercer
marqués de Mondéjar, don Íñigo López de Mendoza y Mendoza (1512-1580),
que será mencionado más adelante (v. 1168), y que tuvo un papel importantísi-
mo en la Guerra de los Moriscos. Fue sustituido temporalmente por un tal don
Juan de Mendoza —«cercano deudo suyo», según Pérez de Hita (pág. 120)—
cuando fue llamado a la Corte. No obstante, el adjetivo hace pensar que Calderón lo funde o confunde con su abuelo, el primer marqués de Mondéjar y segundo conde de Tendilla, don Íñigo López de Mendoza y Quiñones (1442-1515), ya
que fue conocido como el «gran» Tendilla. Fue nieto del poeta Íñigo López de
Mendoza (Marqués de Santillana), y padre no sólo de Antonio de Mendoza, primer virrey de Méjico, sino también del autor de la *Guerra de Granada,* Diego Hurtado de Mendoza. Los Reyes Católicos lo nombraron alcaide vitalicio de la Alhambra en 1492, y lo fueron también su hijo primogénito y su nieto, por lo que
esta rama de la casa de los Mendoza tuvo un papel clave en la vida política y social granadina. Véase H. Nader, *The Mendoza Family in the Spanish Renaissance,*
New Jersey, Rutger University Press, 1979, y J. M. Martín García, *Íñigo López de
Mendoza, el conde de Tendilla,* Granada, Comares, 2003.
118 *porqué:* es habitual en el teatro del Siglo de Oro la acentuación de *porque*
en la última sílaba para mantener la corrección silábica del verso y a veces la rima.

el castigo a los moriscos,
gente vil, humilde y baja.
—Señor don Juan de Mendoza
—dije—, cuando estuvo España   125
en la opresión de los moros
cautiva en su propia patria,
los cristianos, que mezclados
con los árabes estaban,
que hoy mozárabes se dicen,   130
no se ofenden, no se infaman
de haberlo estado, porqué
más engrandece y ensalza
la fortuna al padecerla,
a veces, que al dominarla.   135
Y en cuanto a que son humildes,
gente abatida y esclava,
los que fueron caballeros
moros no debieron nada
a caballeros cristianos   140
el día que con el agua
del bautismo recibieron
su fe católica y santa;
mayormente los que tienen,
como yo, de reyes tanta.   145
—Sí; pero de reyes moros,
—dijo. —Como si dejara
de ser real —le respondí—
por mora, siendo cristiana
la de Valores, Zegríes,   150

---

132 *porqué:* véase nuestra nota al v. 118.

133 *más engrandece:* adopto la enmienda de Hartzenbusch. VT da «más se engrandece».

141-143 *el día que ... su fe católica y santa:* se refiere a la conversión masiva de los moriscos (entonces llamados mudéjares), impuesta por los Reyes Católicos a raíz de los levantamientos de 1500 y 1501, por lo que oficialmente no quedaban musulmanes en España. La práctica era otra cosa y la ceremonia con la que abre *Amar después de la muerte* refleja bien esa realidad histórica.

145 *tanta:* se sobreentiende «tanta *sangre*».

150-151 *Valores, Zegríes, Venegas, Granadas:* linajes nobles andalusíes.

de Venegas y Granadas.
De una palabra a otra, en fin,
como entramos sin espadas,
uno y otro se empeñaron.
¡Mal haya ocasión, mal haya,   155
sin espadas y con lenguas,
que son las peores armas,
pues una herida mejor
se cura que una palabra!
Alguna acaso le dije   160
que obligase a su arrogancia
a que (¡aquí tiemblo al decirlo!)
tomándome (¡pena extraña!)
el báculo de las manos,
con él... pero hasta esto basta;   165
que hay cosas que cuesta más
el decirlas que el pasarlas.
Este agravio que en defensa,
esta ofensa que en demanda
vuestra a mí me ha sucedido,   170
a todos juntos alcanza,
pues no tengo un hijo yo
que desagravie mis canas,
sino una hija, consuelo
que aflige más que descansa.   175
¡Ea, valientes moriscos,
noble reliquia africana!
Los cristianos solamente
haceros esclavos tratan;
la Alpujarra (aquesa sierra   180
que al sol la cerviz levanta,
y que poblada de villas,
es mar de peñas y plantas,
adonde sus poblaciones
ondas navegan de plata,   185

---

154 *uno y otro se empeñaron:* adopto la lectura de TA, ya que los aludidos parecen ser Malec y Mendoza («uno y otro»), y no está claro a quiénes podría referirse el plural («unos y otros») que da VT.

	por quien nombres las pusieron	
	de Galera, Berja y Gabia)	
	toda es nuestra: retiremos	
	a ella bastimentos y armas.	
	Elegid una cabeza	190
	de la antigua estirpe clara	
	de vuestros Abenhumeyas,	
	pues hay en Castilla tantas,	
	y haceos señores, de esclavos;	
	que yo, a costa de mis ansias,	195
	iré persuadiendo a todos	
	que es bajeza, que es infamia	
	que a todos toque mi agravio,	
	y no a todos mi venganza. *(Vase.)*	
CADÍ	Yo, para el hecho que intentas...	200
OTRO	Yo, para la acción que trazas...	
CADÍ	...mi vida y mi hacienda ofrezco.	
OTRO	...ofrezco mi vida y alma. *(Vase.)*	
UNO	Todos decimos lo mismo. *(Vase.)*	
MUJER	Y yo, en el nombre de cuantas	205
	moriscas Granada tiene,	
	ofrezco joyas y galas.	
ALCUZCUZ	Mé, que sólo tener una	
	tendecilla en Bevarrambla	
	de aceite, vinagre e jigos,	210
	nueces, almendras e pasas,	
	cebolias, ajos, pimentos,	
	cintas, escobas de palma,	
	jilo, agujas, faldriqueras	
	con papel blanco e de estraza,	215

---

192 *Abenhumeyas:* los descendientes de los califas omeyas («humeyas») de Damasco a través de Abd al-Rahman I, fundador del emirato de Córdoba en 756.

209 *Bevarrambla:* la granadina Plaza de Bibarrambla o Bib-rambla. Observa Julio Caro Baroja que había en Granada durante siglos «a lo largo del conjunto urbano multitud de tiendecillas de gente humilde», y añade que «la imagen del tendero morisco, vendedor de cosillas de poco valor [...] era familiar en el siglo XVII», si bien no aporta más fuentes para esta última afirmación que estas mismas palabras de Alcuzcuz.

                    alcamonios, agujetas
                    de perro, tabaco, varas,
                    caniones para hacer plumas,
                    hostios para cerrar cartas,
                    ofrecer lievarla a cuestas   220
                    con todas sus zarandajas,
                    porque me he de ver, si llegan
                    a colmo mis esperanzas,
                    de todos los Alcuzcuzes
                    Marqués, Conde o Duque.

UNO   Calla,   225
                    que estás loco.

ALCUZCUZ   No estar loco.

OTRO   Si no loco, es cosa clara
                    que estás borracho.

ALCUZCUZ   No estar,
                    que sonior Mahoma manda
                    en su Alacrán no beber   230
                    vino, y en mi vida nada
                    lo he bebido por los ojos;
                    que si alguna vez me agrada,
                    por no quebrar el costumbre,
                    me lo bebo por la barba. *(Vanse.)*   235

(Salen DOÑA CLARA *y* BEATRIZ, *criada.)*

216-217 *alcamonios, agujetas / de perro:* «alcamonios» debe ser deformación de «alcamonías» ('semillas que se emplean en condimentos, como anís, alcaravea, cominos, etc.', *DRAE*). Una de las acepciones de *agujeta* es 'correa o cinta con un herrete en cada punta, que servía para sujetar algunas prendas de vestir' *(DRAE)*; el profesor Arellano me informa de que se fabricaban, en efecto, con piel de perro. TA da «bujetas» en vez de «agujetas», siendo una *bujeta* 'cierto género de vaso pequeño y pulido en que se echan olores' *(Cov.)*. Aunque tal artículo bien puede figurar entre la mercancía de Alcuzcuz, no se entiende lo que podría ser una «bujeta de perro».

219 *hostios:* 'obleas', aquí en el sentido de 'hoja muy delgada hecha de harina y agua o de goma arábiga, cuyos trozos servían para pegar sobres, cubiertas de oficios, cartas o para poner el sello en seco' *(DRAE)*.

230 *Alacrán:* el *Alcorán*. Es habitual en la comedia española la representación de la figura del gracioso como aficionado a la bebida. La prohibición religiosa a la que se refiere Alcuzcuz añade una dimensión más al estereotipo.

DOÑA CLARA   Déjame, Beatriz, llorar
en tantas penas y enojos;
débanles algo a mis ojos
mi desdicha y mi pesar.
Ya que no puedo matar   240
a quien llegó a deslucir
mi honor, déjame sentir
las afrentas que le heredo,
pues ya que matar no puedo,
pueda a lo menos morir.   245
    ¡Qué avara naturaleza
con nosotras se mostró!
Pues cuando mucho, nos dio
un ingenio, una belleza
adonde el honor tropieza,   250
mas no donde pueda estar
seguro. ¿Qué más pesar,
si a padre y marido vemos
que quitar su honor podemos,
y no le podemos dar?   255
    Si hubiera varón nacido,
Granada y el mundo viera
hoy, si con un joven era
tan soberbio y atrevido
el Mendoza, como ha sido   260
con un viejo; y por hacer
estoy que llegue a entender
que no por mujer lo dejo;

---

244 *ya que matar no puedo:* como volverá a lamentar Clara en los versos siguientes, las normas en torno al honor no permiten a las mujeres vengar las ofensas.

246 *avara:* adopto la lectura de TA. VT da «baja».

249 *un ingenio, una belleza:* son las dos cualidades que, según Calderón, constituyen la perfección en la mujer. Definen a no pocas protagonistas femeninas ejemplares de sus obras. Así, de la intachable protagonista de *El pintor de su deshonra*, Serafina, se afirma: «es su hermosura divina, / es su ingenio singular» *(OC* II, pág. 869a), y la Julia de *El galán fantasma* es calificada como «divino sujeto / [...] en quien juraron / [...] imposibles paces / la hermosura y el ingenio» *(OC* I, pág. 641a).

263 *lo:* adopto la lectura de TA. VT da «le».

pues quien riñó con un viejo,
podrá con una mujer.   265
    Pero es loca mi esperanza:
esto es solamente hablar.
¡Oh, si pudiera llegar
a mis manos mi venganza!
Y mayor pena me alcanza   270
verme (¡ay infelice!) así,
porque en un día perdí
padre y esposo, pues ya
por mujer no me querrá
don Álvaro Tuzaní.   275

(Sale DON ÁLVARO.*)*

DON ÁLVARO   Por mal agüero he tenido,
cuando ya en nada repara
mi amor, haber, bella Clara,
mi nombre en tu boca oído;
porque si la voz ha sido   280
eco del pecho, sospecho
que él, que en lágrimas deshecho
está, sus penas dirá:
luego soy tu pena ya,
pues que me arrojas del pecho.   285
DOÑA CLARA   No puedo negar que llena
de penas el alma esté,
y andas tú en ellas, porqué
no eres tú mi menor pena:
de ti el cielo me enajena,   290
¡mira si eres la mayor!
Porque es tan grande mi amor,
que tu mujer no he de ser,
porque no tengas mujer
tú, de un padre sin honor.   295

---

288 *porqué:* véase la nota al v. 118.

DON ÁLVARO   Clara, no quiero acordarte
                    cuánto respeto he tenido
                    a tu amor, y cuánto ha sido
                    mi respeto en adorarte;
                    sólo quiero en esta parte   300
                    disculparme de que así
                    haya entrado hoy hasta aquí,
                    antes de haberte vengado;
                    porque haberlo dilatado
                    es lo más que hago por ti.   305
                        Que aunque en las leyes del duelo
                    con mujer no se ha de hablar,
                    y aunque puedo consolar
                    tu pena y tu desconsuelo
                    con decir a tu desvelo   310
                    que no llore y que no sienta,
                    porque la acción que se intenta
                    sin espada (mayormente
                    cuando hay justicia presente)
                    ni agravia, ofende ni afrenta,   315
                        de uno ni otro me aprovecho,
                    mas de otra disculpa sí,
                    y es decir que entrarme aquí
                    antes de haber satisfecho
                    (pasando al Mendoza el pecho)   320
                    a tu padre, acción ha sido
                    cuerda, porque recibido
                    está que no se vengó

---

303 *antes de haberte vengado:* parece también aceptable la lectura de TA («antes de haberle vengado»), según la cual don Álvaro no se estaría refiriendo a Clara, sino a su «padre sin honor», don Juan Malec.

315-316 *afrenta, / de:* todas las ediciones antiguas ponen un punto al final del verso y empiezan el siguiente con una mayúscula. Parece necesario modificar la puntuación, como ya hizo Hartzenbusch, ya que la construcción de la frase es: «aunque no hay que hablar con una mujer de las del duelo, y aunque puedo consolar tu pena y tu desconsuelo [...], no me aprovecho ni de lo uno ni de lo otro».

318 *que entrarme:* adopto la enmienda de Hartzenbusch, sin la cual la frase carece de sentido y de coherencia gramatical. VT da «que me entré».

```
              bien del ofensor, si no
              le dio muerte el ofendido,                    325
                 si no es que su hijo sea
              o sea su hermano menor:
              y así, para que su honor
              hoy imposible no vea
              la venganza que desea,                         330
              una fineza he de hacer,
              que es pedirte por mujer
              a don Juan; y así, colijo
              que, en siendo una vez su hijo,
              le podré satisfacer.                           335
                 Sólo a esto, Clara, he venido;
              y si me tuvo hasta aquí
              cobarde en pedirte así
              haber tan pobre nacido;
              hoy que esto le ha sucedido,                   340
              sólo le pida mi labio
              su agravio en dote; y es sabio
              acuerdo dármele, pues
              ya sabe el mundo que es
              dote de un pobre un agravio.                   345
DOÑA CLARA       Ni yo, don Álvaro, espero
              acordarte, cuando lloro,
              la verdad con que te adoro
              y la fe con que te quiero;
              no intento decir que muero                     350
              hoy dos veces ofendida,
              no que a tu afición rendida,
```

326-327 *si no es que su hijo sea / o sea su hermano menor:* nueva referencia a las «leyes» del honor. Sólo se considera una satisfacción del honor si la ofensa es vengada por su propia víctima, o si no, por su hijo o por su hermano menor. Debido a su avanzada edad, Malec no podrá medirse con Mendoza. Don Álvaro propone, pues, casarse con Clara para convertirse en yerno de Malec y por tanto ser considerado su «hijo».

346-347 *Ni yo, don Álvaro, espero / acordarte:* el «ni» de Doña Clara remite al «no» de don Álvaro en el v. 296 («Clara, no quiero acordarte...»).

352 *no que...:* se sobreentiende en este y en el siguiente verso «no intento tampoco decir que...»

no que en amorosa calma
eres vida de mi alma
y eres alma de mi vida;   355
　　que sólo darte a entender
quiero, en confusión tan brava,
que quien fuera ayer tu esclava,
hoy no será tu mujer;
porque si cobarde ayer   360
no me pediste, y hoy sí,
no quiero yo que, de ti
murmurando, el tiempo arguya
que para ser mujer tuya
hubo que suplir en mí.   365
　　Rica y honrada pensé
yo que aún no te merecía;
mas como era dicha mía,
solamente lo dudé:
mira cómo hoy te daré   370
en vez de favor castigo,
haciendo al mundo testigo
que fue menester, señor,
que me hallases sin honor
para casarte conmigo.   375

DON ÁLVARO　　Yo lo intento por vengarte.
DOÑA CLARA　　Yo lo excuso por temerte.
DON ÁLVARO　　Esto, Clara, ¿no es quererte?
DOÑA CLARA　　¿No es esto, Álvaro, estimarte?
DON ÁLVARO　　No has de poder excusarte...   380
DOÑA CLARA　　Darme la muerte podré.
DON ÁLVARO　　...que yo a don Juan le diré
　　　　　　　mi amor.
DOÑA CLARA　　　　　　Diré que es error.
DON ÁLVARO　　¿Y eso es lealtad?
DOÑA CLARA　　　　　　　Es honor.
DON ÁLVARO　　¿Y eso es fineza?

---

356 *darte a entender:* adopto la lectura de TA. VT da «dar a entender».
383 *error:* 'malentendido', 'mentira'.

Doña Clara	Esto es fe; 385
	pues a los cielos les juro
	de no ser de otro mujer,
	como mi honor llegue a ver
	de toda excepción seguro.
	Sólo esto lograr procuro. 390
Don Álvaro	¿Qué importa si...?
Beatriz	Mi señor
	sube por el corredor
	con mucho acompañamiento.
Doña Clara	Retírate a este aposento.
Don Álvaro	¡Qué desdicha! *(Vase.)*
Doña Clara	¡Qué rigor! 395

(Sale Don Alonso de Zúñiga, *corregidor,* Don Fernando de Válor *y* Don Juan Malec.)

Malec	¿Clara?
Doña Clara	¿Señor?
Malec	¡Ay de mí!
	¡Con cuánta pena te encuentro!
	Éntrate, Clara, allá dentro.
Doña Clara	¿Qué es esto?
Malec	Oye desde ahí.

(Retírase al paño Clara.)

Corregidor	Don Juan de Mendoza preso 400
	queda en el Alhambra ya;
	y así preciso será,
	en tanto que este suceso
	se compone, que lo estéis
	vos en vuestra casa.

388-389 *como mi honor llegue a ver / de toda excepción seguro:* el sentido parece ser: «si veo mi honor a salvo de cualquier tacha».

395+ *Alonso de Zúñiga, corregidor:* históricamente no hubo tal corregidor. Véase nuestra Introducción, pág. 14.

| MALEC | Aceto | 405 |

la carcelería, y prometo
guardarla.

D. FERNANDO No lo estaréis
mucho; que pues me ha dejado
el señor corregidor
(porque en el duelo de honor   410
nunca la justicia ha entrado)
a mí hacer las amistades,
yo las haré, procurando
el fin.

CORREGIDOR Señor don Fernando
de Válor, con dos verdades   415
se sanea una malicia;
pues que no hay agravio (es ley)
ni en el palacio del rey
ni en tribunal de justicia.
Todos lo somos allí,   420
y allí no le puede haber.

D. FERNANDO El medio, pues, ha de ser
éste.

DON ÁLVARO ¿Óyeslo todo?

DOÑA CLARA Sí.

D. FERNANDO Que en este caso no hay medio
que le sanee mejor;   425
escuchadme.

MALEC (¡Ay del honor *[Aparte.]*
que se cura con remedio!)

D. FERNANDO Don Juan de Mendoza es
tan bizarro caballero
como ilustre, está soltero,   430
y don Juan de Malec, pues,
en quien sangre ilustre dura
de los reyes de Granada,

---

405 *Aceto:* 'acepto'. Reducción del grupo consonántico por exigencias de la rima, muy habitual en los textos dramáticos del Siglo de Oro.

420 *Todos lo somos allí:* el sentido del verso resulta poco claro. TA(B) da «los» en vez de «lo», lectura que resulta más oscura todavía.

435

tiene una hija celebrada
por su ingenio y su hermosura.   435
   A nadie toca tomar,
si satisfacción desea,
la causa, sino a quien sea
su yerno. Pues con casar
   a don Juan con doña Clara,   440
estará cierto...

DON ÁLVARO   ¡Ay de mí!

D. FERNANDO ...que no pudiendo por sí
vengarse la ofensa rara,
   pues habiendo a un tiempo sido
interesado en su honor,   445
como tercero ofensor,
y como su hijo, ofendido,
   en no teniendo de quien
estar ofendido pueda,
por la misma razón queda   450
seguro. Don Juan también,
   no habiendo de darse muerte
a sí mismo en tanto abismo,
vendrá a tener en sí mismo
su mismo agravio; de suerte   455
   que no pudiendo agraviarse
un hombre a sí, haciendo sabio
dueño a don Juan del agravio,
no tiene de quien vengarse,
   y queda limpio el honor   460
de los dos, pues en efeto
no caben en un sujeto
ofendido y ofensor.

DON ÁLVARO   Yo responderé.

436-439 *A nadie ... su yerno:* el razonamiento es similar al que acaba de hacer don Álvaro; véase la nota a los vv. 326-327.

444 *pues habiendo a un tiempo sido:* adopto la lectura de TA. VT da «pues habiendo un tiempo sido».

447 *como su hijo, ofendido:* al convertirse en yerno («hijo») de Malec, don Juan de Mendoza sería el encargado de vengar la ofensa hecha por él mismo.

DOÑA CLARA	Detente,
	no me destruyas, por Dios. 465
CORREGIDOR	Eso está bien a los dos.
MALEC	Hay mayor inconveniente,
	pues toda nuestra esperanza
	que Clara deshaga entiendo...
DOÑA CLARA	(El cielo me va trayendo *[Aparte.]* 470
	a las manos la venganza.)
MALEC	...que mi hija, no sabré
	si hombre que aborreció ya
	con tanta ocasión, querrá
	por marido. *(Sale* CLARA.*)*
DOÑA CLARA	Sí querré. 475
	Que importa menos, señor,
	si aquí tu opinión estriba,
	que yo sin contento viva,
	que vivir tú sin honor.
	Porque si fuera tu hijo, 480
	la ira me estaba llamando,
	bien muriendo o bien matando;
	y siendo tu hija, colijo
	que en el modo que pudiere
	te debo satisfacer, 485
	y así, seré su mujer;
	de cuyo efecto se infiere
	que estoy tu honor defendiendo,
	que estoy tu fama buscando.
	Y pues no puedo matando, 490
	quiero vengarte muriendo.
CORREGIDOR	Vuestro ingenio sólo pudo
	en un concepto cifrar
	conclusión tan singular.

---

477 *opinión:* 'honor'.

481 *estaba:* 'estaría'.

490-491 *Y pues no puedo matando, / quiero vengarte muriendo:* Hartzenbusch considera estos dos versos un aparte, pero la respuesta de don Alonso parece excluir tal interpretación.

492-494 *Vuestro ingenio sólo pudo / en un concepto cifrar / conclusión tan singular:* don Alonso alaba el ingenio de Clara por haber cerrado su discurso con una antítesis conceptista.

D. FERNANDO	Y ya el efecto no dudo. 495
	Escríbase en un papel
	esto que aquí se trató,
	para que le lleve yo.
CORREGIDOR	Ambos iremos con él.
MALEC	(Quiero usar de aqueste medio, *[Ap.]* 500
	mientras empieza el motín.)
D. FERNANDO	Todo esto tendrá buen fin,
	pues estoy yo de por medio.

(Vanse los tres.)

DOÑA CLARA	Ahora que a un aposento
	se han retirado a escribir, 505
	podrás, Álvaro, salir.

(Sale DON ÁLVARO.)

DON ÁLVARO	Sí haré, sí haré, y con intento
	de no volver a ver más
	alma tan mudable en pecho
	tan noble; y el no haber hecho, 510
	cuando la muerte me das,
	un notable extremo aquí,
	no fue respeto, no fue
	temor, gusto sí, porqué
	mujer tan baja...
DOÑA CLARA	¡Ay de mí! 515
DON ÁLVARO	...que a un tiempo, con vil intento,
	fe injusta, estilo liviano,
	ofrece a un hombre la mano
	y a otro tiene en su aposento,
	no me está bien que se diga 520
	que nunca la quise bien.

---

511 *cuando la muerte me das:* en sentido figurado, 'me haces infeliz', 'acabas con todas mis esperanzas'. «Dar la muerte» tiene el mismo sentido en los vv. 532 y 535.

514 *porqué:* véase la nota al v. 118.

DOÑA CLARA	La voz, Álvaro, detén,
	a que un engaño te obliga;
	que yo te satisfaré
	con el tiempo.
DON ÁLVARO	Éstas no son 525
	cosas de satisfacción.
DOÑA CLARA	Podrán serlo.
DON ÁLVARO	¿No escuché
	yo que la mano darías
	hoy al de Mendoza?
DOÑA CLARA	Sí;
	pero no sabes de mí 530
	el fin de las ansias mías.
DON ÁLVARO	¿Qué fin? ¿Darme muerte? Advierte
	si hay disculpa que te cuadre,
	pues él agravió a tu padre
	y a mí me ha dado la muerte. 535
DOÑA CLARA	El tiempo, Álvaro, podrá
	desengañarte algún día
	que es constante la fe mía,
	y que esta mudanza está
	tan de tu parte...
DON ÁLVARO	¿Quién vio 540
	tan sutil engaño? Dí,
	¿no le das la mano?
DOÑA CLARA	Sí.
DON ÁLVARO	¿No has de ser su mujer?
DOÑA CLARA	No.
DON ÁLVARO	Pues ¿qué medio puede haber...
DOÑA CLARA	No me preguntes en vano. 545
DON ÁLVARO	...Clara, entre darle la mano
	y entre no ser su mujer?
DOÑA CLARA	Darle la mano, quizá
	será traerle a mis brazos,

544-547 *¿qué medio puede haber / ... entre darle la mano / y entre no ser su mujer?*: frase de corrección dudosa, pero más convincente que la lectura de TA: «¿qué medio puede haber / ... en tú darle la mano / y en tú no ser su mujer?»

	con que le he de hacer pedazos.	550
	¿Estás satisfecho ya?	
DON ÁLVARO	No; que si él muere en tus lazos,	
	dejará (¡ay Dios!) al morir	
	muy desvalido el vivir,	
	porque son, Clara, tus brazos	555
	para verdugos muy bellos;	
	pero antes que (ya que sea	
	ése tu intento) él se vea	
	ni aun para morir en ellos,	
	curaré de mis desvelos	560
	yo con su muerte el rigor.	
DOÑA CLARA	¿Eso es amor?	
DON ÁLVARO	Es honor.	
DOÑA CLARA	¿Eso es fineza?	
DON ÁLVARO	Son celos.	
DOÑA CLARA	Mira, mi padre escribió.	
	¡Quién detenerte pudiera!	565
DON ÁLVARO	¡Qué poco menester fuera	
	para detenerme yo!	

(Vanse.)

(Salen DON JUAN DE MENDOZA *y* GARCÉS, *soldado.)*

MENDOZA	Nunca en razón la cólera consiste.	
GARCÉS	No te disculpes, que muy bien hiciste	
	en ponerle la mano;	570
	que no por viejo el que es nuevo cristiano	
	piense que inmunidad el serlo goza	
	de atreverse a un González de Mendoza.	
MENDOZA	Hay mil hombres que en fe de sus estados	
	son soberbios, altivos y arrojados.	575

560-561 *curaré de mis desvelos / yo con su muerte el rigor:* hipérbaton: «Yo curaré el rigor de mis desvelos con su muerte».

563 *Eso:* tanto VT como TA dan «Esa». Enmiendo el texto de acuerdo con la corrección gramatical y el evidente paralelismo con los vv. 384-385.

GARCÉS	Para aquestos traía el Condestable
	don Íñigo (el acuerdo era admirable)
	en la cinta una espada,
	y otra que le servía de cayada.
	Preguntándole un día, 580
	que dos espadas a qué fin traía,
	dijo: —La de la cinta se prefiere
	para aquel que en la cinta la trajere;
	estotra, que de palo me ha servido,
	para quien no la trae y es atrevido. 585
MENDOZA	Muy bien mostró deber los caballeros
	traer para dos acciones dos aceros.
	Ya que el triunfo ha salido
	de espadas, dame aquesa que has traído,
	porque a cualquier suceso 590
	no me halle sin espada, aunque esté preso.
GARCÉS	Yo me agradezco haber la vuelta dado
	hoy a tu casa en tiempo que a tu lado
	puedo servirte, si enemigos tienes.
MENDOZA	Y ¿cómo de Lepanto, Garcés, vienes? 595
GARCÉS	Como quien ha tenido
	fortuna de haber sido
	en ocasión soldado,
	que haya en facción tan grande militado
	debajo de la mano y disciplina 600
	del hijo de aquel águila divina,
	que en vuelo infatigable y sin segundo
	debajo de sus alas tuvo el mundo.
MENDOZA	¿Cómo el señor don Juan llegó?

576-577 *el Condestable / don Íñigo:* el protagonista de este *exemplum* es sin duda don Íñigo de Velasco, nombrado Condestable de Castilla por Carlos V en 1520.

595 *Lepanto:* en realidad, la sonada batalla tuvo lugar después de terminada la Guerra de Granada, el 7 de octubre de 1571. Esta primera alusión anacrónica a la victoria de la Liga sobre los turcos (hay otra en los vv. 907-912) permite la mención de don Juan de Austria, personaje importante que no aparece físicamente en escena hasta la jornada segunda.

601 *hijo de aquel águila divina:* don Juan de Austria, hijo de Carlos V, representado por el águila bicéfala del escudo heráldico de la Casa de Austria.

GARCÉS	Contento

de la empresa.

MENDOZA ¿Fue grande?

GARCÉS Escucha atento: 605

con la liga...

MENDOZA Detente, porque ha entrado
tapada una mujer.

GARCÉS Soy desdichado,
pues a quínola puesto de romance,
me entra figura, con que pierdo el lance.

(Sale DOÑA ISABEL TUZANÍ, *tapada.)*

DOÑA ISABEL Señor don Juan de Mendoza, 610
¿podrá una mujer que viene
a veros en la prisión,
saber de vos solamente
cómo en la prisión os va?

MENDOZA Pues ¿por qué no? Garcés, vete. 615

GARCÉS Mira, señor, que no sea...

MENDOZA En vano dudas y temes;
que ya el habla he conocido.

GARCÉS Por eso me voy. *(Vase.)*

MENDOZA Bien puedes.
En igual duda los ojos 620
y los oídos me tienen,

608-609 *a quínola puesto de romance, / me entra figura, con que pierdo el lance:* al
igual que «figura» y «lance», «quínola» es un término derivado del ámbito de
los juegos de naipes. Como bien observa Ruiz Lagos, procede del mismo ámbito el comentario anterior de Mendoza sobre el «triunfo de espadas». *Quíno-*
la: 'En cierto juego de naipes, lance principal, que consiste en reunir cuatro
cartas de un palo, ganando, cuando hay más de un jugador que tenga *quínola,*
aquella que suma más puntos, atendiendo al valor de las cartas' *(DRAE);* el
juego en cuestión lleva el mismo nombre. Garcés lamenta haber «perdido
el lance» a causa de la entrada de una «figura» —Doña Isabel—, justo cuando él
estaba «puesto» a «quínola de romance»; es decir que ella le ha «ganado» el romance. De este modo, las palabras de Garcés anuncian también una transi-
ción de una forma métrica a otra, de silva pareada a romance, forma esta habitualmente empleada para una narración de hechos que no presencia el público, que es lo que ha estado a punto de llevar a cabo Garcés.

porque de los dos no sé
cuál dice verdad o miente;
porque si a los ojos creo,
no pareces tú lo que eres;   625
y si creo a los oídos,
no eres tú lo que pareces.
Merezca, pues, ver corrida
la sutil nube aparente
del negro cendal, porque   630
si una vez la luz la vence,
digan mis ojos y oídos
que hoy amaneció dos veces.

DOÑA ISABEL   Por no obligaros, don Juan,
a que dudéis más quién puede   635
ser quien os busca, es razón
descubrirme; que no quieren
mis celos que adivinéis
a quién la fineza deben.
Yo soy.

MENDOZA   ¡Isabel, señora!   640
Pues, ¿tú en mi casa, y tú en este
traje, fuera de la tuya?
¿Tú a buscarme desta suerte?
¿Cómo era posible, cómo
que vanas dichas creyese?   645
¿Luego fue fuerza dudarlas?

DOÑA ISABEL   Apenas cuanto sucede
supe, y que aquí estabas preso,
cuando mi amor no consiente
más dilación en buscarte;   650
y antes que a casa volviese
don Álvaro Tuzaní,
mi hermano, he venido a verte
con una criada sola

---

623 *dice:* adopto la lectura de TA, que resulta aquí más convincente que
VT («dijo»), puesto que también «miente» está en presente.

	(mira ya lo que me debes)	655
	que a la puerta dejo.	
MENDOZA	Pueden	
	hoy con aquesta fineza,	
	Isabel, desvanecerse	
	las desdichas, pues por ellas...	

(Sale INÉS, *con manto, como asustada.)*

INÉS	¡Ay, señora!	
DOÑA ISABEL	Inés, ¿qué tienes?	660
INÉS	Don Álvaro mi señor	
	viene aquí.	
DOÑA ISABEL	¿Si conocerme	
	pudo, aunque tan disfrazada	
	vine?	
MENDOZA	¡Qué lance tan fuerte!	
DOÑA ISABEL	Si me siguió, yo soy muerta.	665
MENDOZA	Si estás conmigo, ¿qué temes?	
	Éntrate en aquesa sala	
	y cierra; que aunque él intente	
	hallarte, no te hallará,	
	si antes no me da la muerte.	670

(Escóndense las dos.)

DOÑA ISABEL	En grande peligro estoy.
	¡Valedme, cielos, valedme!

(Sale DON ÁLVARO.)*

DON ÁLVARO	Señor don Juan de Mendoza,
	hablar con vos me conviene
	a solas.

---

655 *mira ya lo que me debes:* este verso, que figura en todas las ediciones, interrumpe la alternancia correcta entre versos asonantes y versos sin rima que exige el romance. El verso, además, entorpece mucho la frase, y puede ser una interpolación. Si no, hay que suponer que falta un verso después del 654 o del 655.

MENDOZA	Pues solo estoy.	675
DOÑA ISABEL	¡Qué descolorido viene!	
DON ÁLVARO	Pues cerraré aquesa puerta.	
MENDOZA	Cerradla. ¡Buen lance es éste!	
DON ÁLVARO	Ya, pues, que cerrada está,	
	escuchadme atentamente.	680
	En una conversación	
	supe agora cómo viene	
	a buscaros...	
MENDOZA	Es verdad.	
DON ÁLVARO	...a esta prisión...	
MENDOZA	Y no os mienten.	
DON ÁLVARO	...quien con el alma y la vida	685
	en aquesta acción me ofende.	
DOÑA ISABEL	¿Qué más se ha de declarar?	
MENDOZA	¡Cielos!, ya no hay quien espere.	
DON ÁLVARO	Y así, he querido llegar	
	(antes que los otros lleguen,	690
	queriendo efectuar con esto	
	amistades indecentes)	
	en defensa de mi honor.	
MENDOZA	Eso mi ingenio no entiende.	
DON ÁLVARO	Pues yo me declararé.	695
DOÑA ISABEL	Otra vez mi pecho aliente;	
	que no soy yo la que busca.	
DON ÁLVARO	El Corregidor pretende,	
	con don Fernando de Válor,	
	de don Juan Malec pariente,	700
	hacer estas amistades,	
	y a mí solo me compete	
	estorbarlas. La razón,	
	aunque muchas darse pueden,	
	yo dárosla a vos no quiero;	705
	y en fin, sea lo que fuere,	
	yo vengo a saber de vos,	

---

682 *viene:* todas las ediciones dan «vienen». Pongo el verbo en singular, puesto que el sujeto gramatical es «quien me ofende».
700 El parentesco entre los Malec y los Válor es invención de Calderón.

	por capricho solamente,	
	si es valiente con un joven	
	quien con un viejo es valiente,	710
	y en efecto, vengo sólo	
	a darme con vos la muerte.	
MENDOZA	Merced me hubiérades hecho	
	en decir más brevemente	
	lo que pretendéis, porqué	715
	pensé, confuso mil veces,	
	que era otra la ocasión	
	de más cuidado, porque ese	
	no es cuidado para mí.	
	Y puesto que no se debe	720

por capricho solamente,
si es valiente con un joven
quien con un viejo es valiente, 710
y en efecto, vengo sólo
a darme con vos la muerte.

MENDOZA Merced me hubiérades hecho
en decir más brevemente
lo que pretendéis, porqué 715
pensé, confuso mil veces,
que era otra la ocasión
de más cuidado, porque ese
no es cuidado para mí.
Y puesto que no se debe 720
rehusar reñir con cualquiera
que reñir conmigo quiere,
antes que esas amistades
que decís que tratan, lleguen,
y que os importa estorbarlas 725
por la ocasión que quisiereis,
sacad la espada.

DON ÁLVARO   A eso vengo,
que me importa daros muerte
más presto que vos pensáis. *(Riñen.)*

MENDOZA Pues campo bien solo es éste. 730

DOÑA ISABEL De una confusión en otra,
más desdichas me suceden.
¿Quién a su amante y su hermano
vio reñir, sin que pudiese
estorbarlo?

MENDOZA   ¡Qué valor! 735

DON ÁLVARO ¡Qué destreza!

---

714 *decir más brevemente:* todas las ediciones dan «decirme brevemente», pero resulta plausible que se trate de una errata por «decir más brevemente», lectura mucho más lógica en el contexto.

716 *pensé:* adopto la lectura de TA. Vera Tassis, al editar los textos de Calderón, solía sustituir «pensar» por «juzgar» o «entender», como demostró Hesse (Everett W. Hesse, *Vera Tassis' Text of Calderón's Plays [Parts I-IV]*, tesis doctoral, Nueva York, 1941, págs. 6-9). Es sin duda el caso aquí.

DOÑA ISABEL	¿Qué he de hacerme?
	Que veo jugar a dos,
	y deseo entrambas suertes,
	porque van ambos por mí,
	si me ganan o me pierden... 740

(Como tropezando en una silla, cae DON ÁLVARO; *sale* DOÑA ISABEL *tapada y detiene a* DON JUAN.)

DON ÁLVARO	Tropezando en esta silla,
	he caído.
DOÑA ISABEL	¡Don Juan, tente!
	(Pero ¿qué hago? El afecto *[Aparte.]*
	me arrebató desta suerte.) *(Retírase.)*
DON ÁLVARO	Mal hicisteis en callarme 745
	que estaba aquí dentro gente.
MENDOZA	Si a daros la vida estaba,
	no os quejéis; que más parece
	que estar conmigo reñir
	con dos, si a ampararos viene; 750
	aunque hizo mal, porque yo
	de caballero las leyes
	sé también; que habiendo visto
	que el caer es accidente,
	os dejara levantar. 755
DON ÁLVARO	Ya tengo que agradecerle
	dos cosas a aquesa dama:
	que a darme la vida llegue,
	y llegue antes que de vos
	la reciba, porque quede, 760
	sin aquesta obligación,
	capaz mi enojo valiente
	para volver a reñir. *(Riñen.)*
MENDOZA	¿Quién, don Álvaro, os detiene?
DOÑA ISABEL	¡Oh, quién pudiera dar voces! 765

(Llaman dentro a la puerta.)

DON ÁLVARO	A la puerta llama gente.

106

MENDOZA	¿Qué haremos?
DON ÁLVARO	Que muera el uno
	y abra luego el que viviere.
MENDOZA	Decís bien.
DOÑA ISABEL	Primero yo
	abriré, porque ellos entren. 770
DON ÁLVARO	No abráis.
MENDOZA	No abráis.

(Abre DOÑA ISABEL, *y queriendo irse, detiénela el Corregidor [*DON ALONSO*], que sale con* DON FERNANDO.*)*

DOÑA ISABEL	Caballeros,
	los dos que miráis presentes
	se quieren matar.
CORREGIDOR	Teneos,
	porque hallándoos desta suerte
	riñendo a ellos, y aquí a vos, 775
	se dice bien claramente
	que sois la causa.
DOÑA ISABEL	(¡Ay de mí!, *[Aparte.]*
	que me he entregado a perderme,
	por donde pensé librarme.)
DON ÁLVARO	Porque en ningún tiempo llegue 780
	a peligrar una dama
	a quien mi vida le debe
	el ser, diré la verdad
	y la causa que me mueve
	a este duelo. No es de amor, 785
	sino que como pariente
	de don Juan Malec, así
	pretendí satisfacerle.

---

779 *pensé:* adopto la lectura de TA, ya que «entendí» será una interpolación de Vera Tassis. Véase la nota al v. 716.

782-783 *a quien mi vida debe / el ser:* por la intervención de Doña Isabel en el duelo, al caerse don Álvaro. Hay cierta ironía dramática en el hecho de que éste no sepa que quien le ha salvado la vida es su hermana.

785 *a este duelo. No es de amor:* adopto la puntuación de Hartzenbusch, necesaria para el sentido.

MENDOZA	Y es verdad, porque esa dama
	acaso ha venido a verme. 790
CORREGIDOR	Pues que con las amistades
	que ya concertadas tienen
	todo cesa, mejor es
	que todo acabado quede
	sin sangre, pues vence más 795
	aquel que sin sangre vence.
	Idos, señoras, con Dios.
DOÑA ISABEL	Sólo esto bien me sucede.

(Vanse [DOÑA ISABEL *e* INÉS]*.)*

D. FERNANDO	Señor don Juan de Mendoza,
	a vuestros deudos parece 800
	y a los nuestros, que este caso
	dentro de puertas se quede
	(como dicen en Castilla),
	y que con deudo se suelde,
	pues dando la mano vos 805
	a doña Clara, la Fénix
	de Granada, como parte
	entonces...
MENDOZA	La lengua cese,
	señor don Fernando Válor;
	que hay muchos inconvenientes. 810
	Si es el Fénix doña Clara,
	estarse en Arabia puede;
	que en montañas de Castilla
	no hemos menester al Fénix,
	y los hombres como yo 815
	no es bien que deudos concierten

---

790 *acaso:* por casualidad, fortuitamente. 'Lo que sucede sin pensar, ni estar prevenido, dezimos aver sido acaso y de improviso' *(Cov.).*

806 *Fénix:* en la mitología, ave única que vivía en Egipto y que al final de su vida prendía fuego a su nido para después renacer de su propia ceniza. Se le atribuía un bellísimo plumaje, y es, sin duda, por su belleza singular por lo que Doña Clara es llamada «Fénix de Granada». Calderón inserta esta referencia a un ave «arábiga» para preparar la respuesta de don Juan de Mendoza.

	por soldar ajenas honras,	
	ni sé que fuera decente	
	mezclar Mendozas con sangre	
	de Malec, pues no convienen	820
	ni hacen buena consonancia	
	los Mendozas y Maleques.	
D. FERNANDO	Don Juan de Malec es hombre...	
MENDOZA	Como vos.	
D. FERNANDO	Sí, pues desciende	
	de los reyes de Granada;	825
	que todos sus ascendientes	
	y los míos reyes fueron.	
MENDOZA	Pues los míos, sin ser reyes,	
	fueron más que reyes moros,	
	porque fueron montañeses.	830
DON ÁLVARO	Cuanto el señor don Fernando	
	en esta parte dijere,	
	defenderé yo en campaña.	
CORREGIDOR	Aquí de ministro cese	
	el cargo; que caballero	835
	sabré ser cuando conviene;	
	que soy Zúñiga en Castilla	
	antes que Justicia fuese.	
	Y así, arrimando esta vara,	
	adónde y cómo quisiereis,	840
	al lado de don Juan, yo	
	haré...	

[*Sale un* CRIADO.]

---

830 *montañeses:* la Casa de Mendoza es originaria de Álava, pero es más probable que la referencia sea a Cantabria, tal vez por el señorío del célebre humanista y poeta Íñigo López de Mendoza, Marqués de Santillana. Ruiz Lagos sostiene que la alusión es a Burgos. Sea como fuere, el orgullo de descender de «montañeses» se basaba en el hecho de haberse iniciado la Reconquista en la montaña asturcántabra, y en la supuesta ausencia de sangre judía o árabe en ellos. A esto último alude aquí don Juan de Mendoza.

839 *arrimando esta vara:* como Pedro Crespo en su famoso diálogo con don Álvaro de Atayde en la jornada tercera de *El alcalde de Zalamea,* don Alonso deja a un lado la vara que simboliza su autoridad y responsabilidad como representante de la Justicia, para hablar y actuar a nivel particular.

CRIADO	En casa se entra gente.
CORREGIDOR	Pues todos disimulad;
	que al cargo mi valor vuelve.
	Vos, don Juan, aquí os quedad 845
	preso.
MENDOZA	A todo os obedece
	mi valor.
CORREGIDOR	Los dos os id.
MENDOZA	Y si desto os pareciere
	satisfaceros...,
CORREGIDOR	...a mí
	y a don Juan, donde eligiereis... 850
MENDOZA	...nos hallaréis con la espada...
CORREGIDOR	...y la capa solamente. *(Vanse.)*
D. FERNANDO	¿Esto consiente mi honor? *(Aparte.)*
DON ÁLVARO	¿Esto mi valor consiente? *(Aparte.)*
D. FERNANDO	Porque me volví cristiano, 855
	¿este baldón me sucede?
DON ÁLVARO	Porque su ley recibí,
	¿ya no hay quien de mí se acuerde?
D. FERNANDO	¡Vive Dios, que es cobardía
	que mi venganza no intente! 860
DON ÁLVARO	¡Vive el cielo, que es infamia
	que yo de vengarme deje!
D. FERNANDO	¡El cielo me dé ocasión!
DON ÁLVARO	¡Ocasión me dé la suerte!
D. FERNANDO	Que si me la dan los cielos... 865
DON ÁLVARO	Si el hado me la concede...

---

844 *al cargo mi valor vuelve:* don Alonso quiere decir que vuelve a actuar como Corregidor y no a nivel particular.

851-852 *con la espada / y la capa solamente:* Mendoza y Zúñiga quieren decir que no los recibirán con armadura, como soldados, sino como nobles que se defienden únicamente con la espada. Explica Covarrubias: 'Reñir con capa y espada, es de hombres que no vienen prevenidos para quistión, y rebuelven la capa al braço izquierdo para repararse de los golpes de su contrario'.

853-854 *¿Esto consiente mi honor? / ¿Esto mi valor consiente?:* Hartzenbusch, coincidiendo con TA, pone estos versos como exclamaciones. Signos de interrogación, como en VT, parecen más adecuados.

D. FERNANDO	...yo haré que veáis muy presto...
DON ÁLVARO	...llorar a España mil veces...
D. FERNANDO	...el valor...,
DON ÁLVARO	...el ardimiento
	deste brazo altivo y fuerte... 870
D. FERNANDO	...de los Válores altivos.
DON ÁLVARO	...de los Tuzanís valientes.
D. FERNANDO	¿Habéisme escuchado?
DON ÁLVARO	Sí.
D. FERNANDO	Pues de hablar la lengua cese
	y empiecen a hablar las manos. 875
DON ÁLVARO	Pues ¿quién dice que no empiecen?

Jornada segunda

(*Tocan cajas y trompetas, y salen los* SOLDADOS *que puedan de acompañamiento,* DON JUAN DE MENDOZA *y el señor* DON JUAN DE AUSTRIA.)

DON JUAN   Rebelada montaña,
cuya inculta aspereza, cuya extraña
altura, cuya fábrica eminente,
con el peso, la máquina y la frente   880
fatiga todo el suelo,
estrecha el aire y embaraza el cielo;
infame ladronera,
que de abortados rayos de tu esfera
das, preñados de escándalos tus senos,   885
aquí la voz y en África los truenos:
hoy es, hoy es el día

---

879 *fábrica:* 'en una sinificación se toma por qualquier edificio sumptuoso' (*Cov.*); aquí en sentido figurado, 'mole'.

883-886 *Infame ladronera ... truenos:* el sentido de estos versos parece ser: «Infame ladronera, que, al tener tus senos preñados de escándalos, das la voz (aquí) y los truenos (en África) de los rayos abortados de tu esfera». La *esfera* es aquí la «región del aire» de donde se suponía proceden los relámpagos; los *truenos* que don Juan sitúa en África, son la siempre presente amenaza de que la rebelión reciba apoyo desde Argel. Es de interés la variante de TA: «que de abortados rayos dura esfera, / despiden con escándalo tus senos». Son versos más fluidos y elegantes que los de VT, y resulta además muy plausible que Calderón llamara a la Alpujarra «*dura esfera*», tal como unos versos más abajo hablará de «tu *pesada* alevosía». Sin embargo, dicha variante parece impedir una lectura gramaticalmente coherente del pasaje.

fatal de tu pesada alevosía,
porque vienen conmigo
juntos hoy mi venganza y tu castigo,   890
si bien corridos vienen
de ver el poco aplauso que previenen
los cielos a su fama;
que esto matar, y no vencer se llama,
porque no son blasones   895
a mi honor merecidos
postrar una canalla de ladrones
ni sujetar un bando de bandidos;
y así, encargue a los tiempos mi memoria
que la llame castigo, y no vitoria.   900

MENDOZA   Águila generosa,
que a la esfera de Marte luminosa

---

888 *pesada:* desde Hartzenbusch se acostumbra enmendar como «pasada»,
pero la lectura «pesada», que figura en todos los textos del XVII, concuerda mejor con la retórica barroca del fragmento: la alevosía que está acometiendo la
Alpujarra puede ser considerada «pesada» por ser ella misma un gran bulto pe-
sado de piedra. Además, no es cierto que la «alevosía» sea «pasada» todavía.

891 *corridos:* 'avergonzados'.

893 *su fama:* también aquí es habitual adoptar la enmienda de Hartzenbusch, «mi fama». Sin embargo, se trata de la fama del «castigo» de los moriscos y de la «venganza» de don Juan, que son los que, personificados, «corridos vienen».

900 *llame:* adopto la lectura TA, ya que «mi memoria» parece ser el sujeto
tanto de «encargue» como de «llame», exigiendo por tanto el imperativo en
ambos casos. VT da «llamo».

901-928 *Águila generosa ... llegado:* estos versos sólo figuran, con varios defectos en la construcción silábica de los versos, en TA. En VT el pasaje se reduce a dos endecasílabos pareados:

[DON JUAN]   Saber deseo el origen deste ardiente
            fiero motín.
MENDOZA   Pues oye atentamente.

Aunque su sentido no siempre es claro, los versos de TA tienen un marcado
sabor calderoniano, y los acepto como auténticos. En referencia a las hipótesis sobre la ausencia de este pasaje en VT, véase nuestra Introducción, págs. 55-57.

902 *la esfera de Marte luminosa:* como en el v. 884, Calderón alude al modelo geocéntrico del universo, según el cual éste consiste en una serie de esferas concéntricas y transparentes («luminosas») que giran en torno a su punto cen-
tral, que es la Tierra. En el cielo inferior y sublunar, hay cuatro esferas, que

a colocarte vuelas,
en cuyo aliento ociosamente anhelas
porque te den, cuando volar presumas,   905
las alemanas águilas sus plumas;
tú que fuiste en Lepanto
caudillo de la fe, del turco espanto
y cristiano Neptuno,
que el reino de las ondas importuno   910
avasallaste, siendo dignamente
ese estoque católico tridente:
bien sientes, bien desdeñas, bien previenes,
cuando llamado desta empresa vienes,
que el Alpujarra del africano sea   915
porque rendida a tu valor se vea;
pero si parte alguna

---

son las de los cuatro elementos (tierra, agua, aire y fuego), y es a la tercera de
éstas a la que se refiere don Juan de Austria en el v. 884. Aquí, en cambio,
la referencia es al sistema de las esferas superiores, ocupadas cada una por uno de
los planetas. A la vez, los planetas se asocian con los dioses paganos, como en
este caso Marte, dios de la guerra, por lo que elevarse hacia la «esfera de Marte» significa aspirar a llevar a cabo acciones bélicas heroicas. Calderón combina esta metáfora con el símbolo heráldico de la Casa de Austria, el águila bicéfala (v. 901), cuyas «plumas» (v. 906) capacitarán el hijo de Carlos V para
«volar» a la esfera de Marte.

907 Como observamos arriba (v. 595n), la batalla de Lepanto, gloriosa para
don Juan de Austria, fue en realidad posterior a la Guerra de Granada. Tal vez
Calderón quería suavizar la imagen nada halagüeña de don Juan de Austria
que surge de su actuación en Galera, insertando esta referencia a una victoria
mucho más gloriosa.

909 *Neptuno:* dios romano del mar. Don Juan es un «Neptuno» por dominar el mar en Lepanto, pero un «cristiano» Neptuno, frente al Neptuno paga-
no de la Roma antigua.

912 *católico tridente:* el tridente es el atributo de Neptuno. Don Juan, como
«cristiano Neptuno» sustituye el atributo del dios del mar por su estoque.

915 *que el Alpujarra del africano sea:* a este verso le sobra una sílaba para ser
un endecasílabo correcto. Valbuena Briones lo enmienda en su estudio de la
obra —que no en su edición del texto— como «que Alpujarra del africano
sea» («La Guerra Civil de Granada a través del arte de Calderón», en *Calderón
y la comedia nueva*, Madrid, Espasa-Calpe, 1977, pág. 207), pero «Alpujarra»
nunca se emplea en la obra sin artículo. Tal vez habría que enmendar «que el
Alpujarra de africanos sea» o «que el Alpujarra del alarbe sea».

917-919 *si parte alguna ... no siendo el todo:* Mendoza quiere decir que, aunque es imposible no ganar esta guerra («el todo»), las dificultades pueden ser

<pre>
                    puede desvanecer a tu fortuna,
                    no siendo el todo, aquesta solamente
                    lisonjee tu espíritu valiente: 920
                    no porque son vasallos rebelados
                    dejan, señor, de estar fortificados;
                    no porque son bandidos
                    dejan de ser valientes y atrevidos;
                    todo lo son y a todo soy testigo,   925
                    y advierte que un doméstico enemigo
                    es de mayor cuidado.
DON JUAN   ¿A tanto extremo ha el rebelión llegado?
MENDOZA   ¿Quieres, mientras pasando va la gente,
                    oírlo?
DON JUAN   Sí.
MENDOZA   Pues escucha atentamente.   930
                    Ésta, austral águila heroica,
                    es el Alpujarra, ésta
                    es la rústica muralla,
                    es la bárbara defensa
                    de los moriscos, que hoy,   935
                    mal amparados en ella,
                    africanos montañeses,
</pre>

---

muy superiores a lo que se imagina don Juan de Austria, que piensa acabar rápidamente con una mera «canalla de ladrones».

925 *todo lo son y a todo soy testigo:* enmiendo el verso, al que le sobra una sílaba en TA.

926 *y advierte que un doméstico enemigo:* enmiendo el verso, que no parece tener sentido en TA («y añadir ser domestico enemigo»). Las enmiendas de Valbuena Briones («y añadiré: ser doméstico conmigo», según su edición) y de Ruiz Lagos («y añadiré: ser doméstico enemigo») convierten el verso en dodecasílabo, por lo que no resultan satisfactorias.

928 *rebelión:* enmiendo lo que no puede ser sino una errata en TA («rebelín»). Hay un caso análogo en el v. 979, donde de nuevo TA da «rebelín», en vez de «rebelión», que es la lectura de VT. «Rebelión» es habitualmente voz masculina en el siglo XVII.

931 *austral:* perteneciente a la Casa de Austria, identificada aquí otra vez con su símbolo heráldico, el águila bicéfala.

934 *bárbara:* inculta, es decir, no levantada por la destreza humana, sino por la naturaleza, lo mismo que la «rústica muralla» del verso anterior. Este uso del adjetivo «bárbaro» es frecuente en Calderón.

937 *africanos montañeses:* Mendoza compara a los moriscos de la Alpujarra con los montañeses que, después de la invasión musulmana de 711, comen-

restaurar a España intentan.
Es por su altura difícil,
fragosa por su aspereza,   940
por su sitio inexpugnable
e invencible por sus fuerzas:
catorce leguas en torno
tiene, y en catorce leguas
más de cincuenta que añade   945
la distancia de las quiebras,
porque entre puntas y puntas
hay valles que la hermosean,
campos que la fertilizan,
jardines que la deleitan.   950
Toda ella está poblada
de villajes y de aldeas;
tal, que cuando el sol se pone,
a las vislumbres que deja,
parecen riscos nacidos   955
cóncavos entre las peñas
que rodaron de la cumbre,
aunque a la falda no llegan.
De todas las tres mejores
son Berja, Gabia y Galera,   960
plazas de armas de los tres
que hoy a los demás gobiernan.
Es capaz de treinta mil
moriscos que están en ella,

---

zaron la «reconquista» de la Península de norte a sur. Los moriscos, afirma, pretenden repetir la hazaña en sentido opuesto, «reconquistando» España para el Islam. Este uso del término «montañeses» contrasta radicalmente con la actitud de Mendoza en los vv. 828-830.

938 *restaurar:* reconquistar para restaurar su dominio.

943-944 *catorce leguas en torno / tiene:* catorce leguas son algo más de 78 kilómetros. La cifra arbitraria que da Calderón sugiere una precisión no menos ficticia que la topografía de la obra. Hurtado de Mendoza da cifras mucho más ajustadas a la realidad: «diez y siete leguas en largo, y once en lo más ancho, poco más o menos» (ed. cit., pág. 125).

963-964 *treinta mil / moriscos:* de nuevo, Calderón da una cifra exacta, pero de veracidad dudosa y procedencia desconocida. Mármol (I, 9) da esta misma cifra de treinta mil vecinos moriscos para 1476, pero se refiere a Granada capi-

sin las mujeres y niños, 965
y tienen donde apacientan
gran cantidad de ganados,
si bien los más se sustentan
más que de carnes, de frutas,
ya silvestres o ya secas, 970
o de plantas que cultivan,
porque no sólo a la tierra,
pero a los peñascos hacen
tributarios de la yerba;
que en la agricultura tienen 975
tal estudio, tal destreza,
que a preñeces de su azada
hacen fecundas las piedras.
La causa del rebelión,
por si tuve parte en ella, 980
te suplico que en silencio
la permitas a mi lengua,
aunque mejor es decir
que fui la causa primera,
que no decir que lo fueron 985
las pregmáticas severas
que tanto los apretaron,
que a decir esto me esfuerza
que uno ha de tener la culpa:
¡más vale que yo la tenga! 990

---

tal, añadiendo que «en sólo tres días se juntaban de los lugares de la Alpujarra, sierra, valle y vega de Granada otros cincuenta mil hombres de pelea», cifras que han sido a su vez puestas en duda por Caro Baroja *(op. cit.,* pág. 85). Núñez Muley, en su *Memorial,* habla de cincuenta mil vecinos moriscos en todo el Reino de Granada (K. Garrad, «The original *Memorial* of D. Francisco Núñez Muley», en *Atlante,* II (1954), pág. 209). Calderón parece confundir, intencionadamente, la Alpujarra con el Reino de Granada, pero precisamente por ello la cifra que da puede ser considerada bastante fiel a la realidad. Basándose en cifras de observadores extranjeros, Bernard Vincent ha concluido que «los moriscos sublevados serían [...] 30.000 en el apogeo del movimiento» (A. Domínguez Ortiz y B. Vincent, *Historia de los moriscos,* Madrid, Alianza, 1978, pág. 39).
    986 *pregmática:* 'pragmática'.

En fin, sea aquel desaire
la ocasión, señor, o sea
que a Válor, al otro día
que sucedió mi pendencia,
llegó el alguacil mayor   995
dél, y le quitó a la puerta
del Ayuntamiento una
daga que traía encubierta,
o sea que ya oprimidos
de ver cuánto los aprietan   1000
órdenes que cada día
aquí de la Corte llegan,
los desesperó de suerte,
que amotinarse conciertan:
para cuyo efecto fueron   1005
sin que ninguno lo entienda,
retirando a la Alpujarra
bastimento, armas y hacienda.
Tres años tuvo en silencio
esta traición encubierta   1010
tanto número de gentes:
cosa que admira y eleva,
que en más de treinta mil hombres
convocados para hacerla,
no hubiera uno que jamás   1015
revelara ni dijera
secreto de tantos días.
¡Cuánto ignora, cuánto yerra
el que dice que un secreto
peligra en tres que le sepan!   1020
¡Que en treinta mil no peligra,
como a todos les convenga!
El primer trueno que dio
este rayo, que en la esfera

993-998 *a Válor ... encubierta:* Calderón sigue a Pérez de Hita (págs. 8-12) al
considerar este incidente una de las causas de la rebelión.

1009 *Tres años:* véase nuestra Introducción, pág. 14.

1024 *esfera:* véanse las notas a los vv. 884-885 y 902. Las referencias a truenos y relámpagos como metáfora de lo bélico son frecuentes en Calderón,

de esos peñascos forjaban   1025
la traición y la soberbia,
fueron hurtos, fueron muertes,
robos de muchas iglesias,
insultos y sacrilegios
y traiciones; de manera   1030
que Granada, dando al cielo
bañada en sangre las quejas,
fue miserable teatro
de desdichas y tragedias.
Preciso acudió al remedio   1035
la justicia, pero apenas
se vio atropellada, cuando
toda se puso en defensa:
trocó la vara en acero,
trocó el respeto en la fuerza,   1040
y acabó en civil batalla
lo que empezó en resistencia.
Al corregidor mataron;

---

que suele invertir, como aquí, el orden natural, presentando los truenos como anuncios de los relámpagos y no al revés. Véase Erik Coenen, «Rayos y truenos: una metáfora predilecta de Calderón y su peculiar modo de aplicarla», pendiente de publicación en *Dicenda*.

1027-1030 *fueron hurtos ... traiciones:* Calderón emplea términos bastante suaves para referirse a la furia que se desató contra, sobre todo, los curas de la Alpujarra, como el de Canjáyar, al que obligaron a comerse sus propios ojos (Mármol Carvajal, IV, 23); el de Felix, al que amarraron a un naranjo para grabarle una cruz en la cara a navajazos (Pérez de Hita, pág. 17); el de Mairena, al que «hinchieron de pólvora y pusiéronle fuego» (Hurtado de Mendoza, pág. 140), etc. Habrá cierta exageración en estos y otros relatos tremendistas, pero no cabe duda de que encierran una parte de verdad.

1029 *insulto:* 'hecho malo, atrevido y escandaloso' *(Cov.).*

1035-1037 *Preciso acudió al remedio / la justicia, pero apenas / se vio atropellada, cuando:* a primera vista, es atractiva la lectura de TA, con versos más fluidos y una referencia explícita a a la Alpujarra («Quiso acudir al remedio / la justicia, pero apenas / la vio la Alpujarra, cuando»). Sin embargo, convierte «la Alpujarra» en el sujeto gramatical de «trocó la vara en acero», siendo lógicamente la «justicia» quien trueca su «vara» —símbolo de su autoridad— en «acero» —es decir, por metonimia, la espada y, más en general, las armas. No se trata, a mi entender, de que «la Alpujarra» se defienda de «la justicia», sino de que ésta se defienda de los moriscos sublevados.

1043 *al corregidor mataron:* véase nuestra Introducción, pág. 14.

la ciudad, al daño atenta,
tocó al arma, convocando   1045
la milicia de la tierra;
no bastó; que siempre estuvo
(tanto novedades precia)
de su parte la fortuna,
de suerte que todo era   1050
desdichas para nosotros.
¡Qué pesadas y qué necias
son, pues en cuanto porfían,
nunca ha quedado por ellas!
Creció el cuidado en nosotros,   1055
creció en ellos la soberbia
y creció en todos el daño,
porque se sabe que esperan
socorro de África, y ya
se ve, si el socorro llega,   1060
que el defenderle la entrada
es divertirnos la fuerza:
además, que si una vez
pujantes se consideran,
harán los demás moriscos   1065
del acaso consecuencia;
pues los de la Extremadura,
los de Castilla y Valencia,
para declararse aguardan
cualquier victoria que tengan.   1070

1052-1053 *Qué pesadas y qué necias / son:* esta curiosa personificación de las
«desdichas» es un recurso retórico habitual en Calderón. Compárese, por
ejemplo, el soliloquio de Rosaura en *La vida es sueño, OC* II, pág. 519a («Desde la primera desdicha ... en los brazos de la muerte»).

1058-1059 *se sabe que esperan / socorro de África:* estos versos, junto con los
que se refieren más abajo al peligro de que los moriscos de otras regiones se
sumen a la rebelión (vv. 1067-1070), reflejan bien los temores que inspiró la
rebelión y que en parte explican la violencia de su represión. Francisco Márquez Villanueva ha puesto en duda la seriedad de tales peligros («El problema
historiográfico de los moriscos», en *El problema morisco (desde otras laderas),* Madrid, Libertarias, 1991, págs. 141-166), pero cabe aducir que, a la hora de expli-
car determinadas acciones históricas, lo importante es la realidad del miedo
que las motive, no el fundamento objetivo de ese miedo.

Y para que veáis que son
gente, aunque osada y resuelta,
de políticos estudios,
oíd cómo se gobiernan
(que esto lo habemos sabido   1075
de algunas espías presas).
Lo primero que trataron
fue elegir una cabeza,
y aunque sobre esta elección
hubo algunas competencias   1080
entre don Fernando Válor
y otro hombre de igual nobleza,
don Álvaro Tuzaní,
don Juan Malec los concierta,
con que don Fernando reine,   1085
casándose con la bella
doña Isabel Tuzaní,
su hermana. (¡Oh, cuánto me pesa *[Ap.]*
de traer a la memoria
el Tuzaní, a quien respetan,   1090
ya que a él no le hicieron rey,
haciendo a su hermana reina!)
Coronado, pues, el Válor,
la primer cosa que ordena,
fue, por oponerse en todo   1095
a las pregmáticas nuestras,
o por tener por las suyas
a su gente más contenta,
que ninguno se llamara
nombre cristiano, ni hiciera   1100
ceremonia de cristiano;
y porque su ejemplo fuera
el primero, se firmó
el nombre de Abenhumeya,

1080-1083 *hubo algunas competencias:* en realidad fue Fárax Abén Fárax
quien compitió con Válor. Al transformar los hechos históricos en acción dramática, Calderón reduce el número de protagonistas y permite una solución
que eleva el honor de los Tuzaníes, al casarse Isabel Tuzaní con el «Rey».

apellido de los reyes   1105
de Córdoba, a quien hereda;
que ninguno hablar pudiese,
sino en arábiga lengua,
vestir sino traje moro,
ni guardar sino la secta   1110
de Mahoma. Después desto,
fue repartiendo las fuerzas.
Galera, que es esa villa
que estás mirando primera,
cuyas murallas y fosos   1115
labró la naturaleza,
tan singularmente docta,
que no es posible que pueda
ganarse sin mucha sangre,
la dio a Malec en tenencia   1120
—a Malec, padre de Clara,
que ya se llama Maleca—;
al Tuzaní le dio a Gabia
la Alta, y él se quedó en Berja,
corazón que vivifica   1125
ese gigante de piedra.
Ésa es la disposición
que desde aquí se penetra,
y ésa, señor, la Alpujarra,
cuya bárbara eminencia,   1130
para postrarse a tus pies,
parece que se despeña.
Y pues que ya estremecida
a solo el amago tiembla,
no aventures fácilmente   1135
para el desprecio la empresa,
que hace mal quien al contrario
más desdichado desprecia.
Y peor es aventurar,

1130 *bárbara:* véase la nota al v. 934.
1133-1158 *Y pues ... llueva:* estos versos sólo figuran en TA. Los acepto
como auténticos.

	si es poca el salir con ella,	1140
	y donde hay poco que ganes	
	quizá habrá mucho que pierdas.	
	Ésta no es desconfianza,	
	prevención sí, porque adviertas	
	lo eminente de su sitio,	1145
	lo intrincado de sus sierras,	
	lo rebelde de sus muros,	
	lo cerrado de sus peñas,	
	lo mañoso de sus gentes,	
	la ventaja de sus fuerzas,	1150
	la prevención de sus armas,	
	pues solamente con piedras	
	se defienden, y no hay	
	montaña de todas esas	
	que no sea parda nube,	1155
	que pardo volcán no sea,	
	que de peñascos preñado	
	o los reviente o los llueva.	
DON JUAN	Don Juan, vuestras prevenciones	
	son de Mendoza y son vuestras,	1160
	que es ser dos veces leales; *(Tocan.)*	
	pero ¿qué cajas son éstas?	
MENDOZA	La gente que va llegando,	
	pasando, señor, la muestra.	
DON JUAN	¿Qué tropa es ésa?	
MENDOZA	Ésta es	1165
	de Granada, y cuanto riega	
	el Genil.	
DON JUAN	¿Y quién la trae?	

1140 *ella:* 'la empresa'.

1152-1153 *solamente con piedras / se defienden:* históricamente esta afirmación es apenas exagerada. Todas las fuentes contemporáneas destacan la escasez de armas en el lado morisco y el frecuente recurso a piedras en su lugar.

1157 *de peñascos preñado:* enmiendo el texto, ya que el sentido debe ser: «no hay montaña de esas que no sea una parda nube, que, preñada de peñascos, los llueva, o un pardo volcán, que, igualmente preñado de peñascos, los reviente». La gramática exige, a mi juicio, el masculino singular «preñado». TA da «preñadas».

MENDOZA	Tráela el Marqués de Mondéjar,
	que es el Conde de Tendilla,
	de su Alhambra y de su tierra 1170
	perpetuo alcaide.
DON JUAN	Su nombre
	el moro en África tiembla. *(Tocan.)*
	¿Cuál es ésta?
MENDOZA	La de Murcia.
DON JUAN	¿Y quién es quien la gobierna?
MENDOZA	El gran Marqués de los Vélez. 1175
DON JUAN	Su fama y sus hechos sean
	corónicas de su nombre. *(Tocan.)*
MENDOZA	Éstos son los de Baeza,
	y viene por cabo suyo
	un soldado, a quien debiera 1180
	hacer estatuas la fama,
	como su memoria eterna:
	Sancho de Ávila, señor.
DON JUAN	Por mucho que se encarezca,
	será poco, si no dice 1185
	la voz que alabarle intenta,
	que es discípulo del Duque
	de Alba, enseñado en su escuela
	a vencer, no a ser vencido. *(Tocan.)*
MENDOZA	Aqueste que ahora llega, 1190
	el tercio viejo de Flandes
	es, que ha bajado a esta empresa
	desde el Mosa hasta el Genil,
	trocando perlas a perlas.

1172 *tiembla:* 'hace temblar'. El empleo de un verbo intransitivo como transitivo no es infrecuente en la poesía de tendencia gongorista. Calderón usa el verbo *temblar* de este modo también, por ejemplo, en la primera parte de *La hija del aire:* «Yo haré, si llego a reinar / que el mundo mi nombre tiemble» (*OC* II, pág. 749a).

1177 *corónicas:* 'crónicas'.

1193-1194 *desde el Mosa hasta el Genil, / trocando perlas a perlas:* el Mosa y el Genil representan, por sinécdoque, los Países Bajos y Granada. A su vez los dos ríos son representados por sus gotas, o sea, metafóricamente, por sus «perlas».

DON JUAN	¿Quién viene con él?
MENDOZA	Un monstruo 1195
	del valor y la nobleza,
	don Lope de Figueroa.
DON JUAN	Notables cosas me cuentan
	de su gran resolución
	y de su poca paciencia. 1200
MENDOZA	Impedido de la gota,
	impacientemente lleva
	el no poder acudir
	al servicio de la guerra.
DON JUAN	Yo deseo conocerle. 1205

(Sale DON LOPE DE FIGUEROA.)

DON LOPE	Voto a Dios, que no me lleva
	en aqueso de ventaja
	un átomo vuestra alteza,
	porque hasta verme a sus pies,
	sólo he sufrido a mis piernas. 1210
DON JUAN	¿Cómo llegáis?
DON LOPE	Como quien,
	señor, a serviros llega
	de Flandes a Andalucía;
	y no es mala diligencia,
	pues vos a Flandes no os vais, 1215
	que Flandes a vos se venga.

1197 *don Lope de Figueroa:* don Lope de Figueroa y Barradas (muerto en 1585) participó, en efecto, en el cerco de Galera como maestre de campo de don Juan de Austria. Goza de fama literaria por su papel como personaje de *El alcalde de Zalamea,* pero figura de hecho en al menos siete comedias más del Siglo de Oro de diversos autores, por lo que se convirtió en un personaje estereotipado, siempre identificable por su cojera. Sobre este proceso de transformación, véase S. Arata, «Pedro Crespo y la pata coja de Lope de Figueroa», en *Calderón 2000. Homenaje a Kurt Reichenberger en su 80 cumpleaños (Actas del Congreso Internacional, IV Centenario del nacimiento de Calderón, Universidad de Navarra, septiembre, 2000),* ed. I. Arellano, Kassel, Reichenberger, 2002, I, págs. 3-20.

1215 *pues vos a Flandes no os vais:* adopto la lectura de TA, que, por el paralelismo con el verso siguiente («os vais»-«se venga»), convence más que la de VT («pues vos a Flandes no vais»).

DON JUAN	Cúmplame el cielo esa dicha.
	¿Traéis buena gente?
DON LOPE	Y tan buena,
	que si fuera el Alpujarra
	el infierno, y estuviera 1220
	Mahoma por alcaide suyo,
	entraran, señor, en ella,
	si no es los que tienen gota,
	que no trepan por las peñas,
	porque vienen...
UNO	¡Deteneos! *(Dentro.)* 1225
GARCÉS	Tengo de llegar, afuera. *(Dentro.)*

(Sale GARCÉS *con* ALCUZCUZ *a cuestas.)*

DON JUAN	¿Qué es esto?
GARCÉS	De posta estaba
	a la falda de esa sierra,
	sentí ruido entre unas ramas,
	paréme hasta ver quién era, 1230
	y vi este galgo que estaba
	acechando detrás dellas,
	que sin duda era su espía.
	Maniatéle con la cuerda
	del mosquete, y porque ladre 1235
	qué hay allá, le traigo a cuestas.
DON LOPE	¡Buen soldado, voto a Dios!
	¿Esto hay acá?
GARCÉS	¡Pues!, ¿qué piensa
	vueseñoría? ¿Que todo
	está en Flandes?

1231 *galgo:* variante de «perro», usado repetidas veces por los cristianos como insulto a los musulmanes; de ahí el juego de palabras con «ladrar» en el v. 1235.

1237 Adopto la lectura de TA, por ser «¡Voto a Dios!» la muletilla característica de don Lope de Figueroa, muy aprovechada por Calderón en *El alcalde de Zalamea*. VT da «Vive Dios».

ALCUZCUZ	(¡Malo es ésta! *[Aparte.]* 1240
	Alcuzcuz, a esparto olelde
	el nuez del gaznato vuestra.)
DON JUAN	Ya os conozco: no me cogen
	estas hazañas de nuevas.
GARCÉS	(¡Oh, cómo premian sin costa *[Ap.]* 1245
	príncipes que honrando premian!)
DON JUAN	Venid acá.
ALCUZCUZ	¿A mé decilde?
DON JUAN	Sí.
ALCUZCUZ	Ser gran favor tan cerca.
	Bien estalde aquí.
DON JUAN	¿Quién sois?
ALCUZCUZ	(Aquí importar el cautela.) *(Aparte.)* 1250
	Alcuzcuz, un morisquilio,
	a quien lievaron por fuerza
	al Alpujarro; que mé
	ser crestiano en me conciencia,
	saber la trina crestiana, 1255
	el Credo, la Salve Reina,
	el Pan nostro, y el catorce
	Mandamientos de la Igresia.
	Por decir que ser crestiano,
	darme otros el muerte intentan; 1260
	yo correr, e hoyendo, dalde
	en manos de quien me prenda.
	Si me dar el vida, yo
	decilde cuanto allá piensan,
	y lievaros donde entréis 1265
	sin alguna resistencia.

1241-1242 *a esparto olelde / el nuez del gaznato vuestra:* frase un tanto enigmática. Acaso expresa el miedo de Alcuzcuz a ser ahorcado.

1255 *la trina:* deformación de «doctrina» o quizás de «la Trinidad». Es llamativa la variante de TA(B): «saber latrina cristiana», sugiriendo tal vez un juego de palabras con «letrina».

DON JUAN	Como presumo que miente,
	también puede ser que sea
	verdad.
MENDOZA	¿Quién duda que hay muchos
	que ser cristianos profesan? 1270
	Yo sé una dama que está
	retirada allá por fuerza.
DON JUAN	Pues ni todo lo creamos
	ni dudemos. Garcés, tenga
	ese morisco por preso. 1275
GARCÉS	Yo, yo tendré con él cuenta.
DON JUAN	Que en lo que luego dijere,
	veremos si acierta o yerra;
	y ahora vamos, don Lope,
	dando a los cuarteles vuelta, 1280
	y a consultar por qué sitio
	se ha de empezar.
MENDOZA	Vuestra Alteza
	lo mire bien, porque aunque
	parece poca la empresa,
	importa mucho; que hay cosas, 1285
	mayormente como éstas,
	que no dan honor ganadas,
	y perdidas dan afrenta:
	y así, se debe poner
	mayor atención en ellas, 1290
	no tanto para ganarlas,
	cuanto para no perderlas.

(Vanse, y quedan GARCÉS, *y* ALCUZCUZ.*)*

1282 *Vuestra Alteza:* título que no le correspondía a don Juan de Austria. Cabe preguntarse si Calderón había leído en Hurtado de Mendoza que «la lisonja [...] se extendió a llamarle Alteza, no embargante que hubiese orden expresa el Rey, para que sus ministros y consejeros le llamasen Excelencia» (pág. 218).

1282-1292 *Vuestra Alteza ... perderlas:* estas palabras de Mendoza repiten, en el fondo, el aviso dirigido a don Juan de Austria en los vv. 901-927 y 1133-1158, lo cual explica tal vez por qué éstos no aparecen en el texto publicado por Vera Tassis, pudiendo haber sido suprimidos por el propio Calderón por superfluos. Véase nuestra Introducción, pág. 57.

GARCÉS   Vos, ¿cómo os llamáis?
ALCUZCUZ   Arroz;
que si entre moriscos era
Alcuzcuz, entre crestianos   1295
seré Arroz, porque se entienda
que menestra mora pasa
a ser crestiana menestra.
GARCÉS   Alcuzcuz, ya sois mi esclavo:
decid verdad.
ALCUZCUZ   Norabuena.   1300
GARCÉS   Vos dijisteis al señor
don Juan de Austria...
ALCUZCUZ   ¿Que aquél era?
GARCÉS   ...que le llevaríais por donde
entrada tiene esa sierra.
ALCUZCUZ   Sí, mi amo.
GARCÉS   Aunque es verdad   1305
que él a sujetaros venga
con el Marqués de los Vélez,
con el Marqués de Mondéjar,
Sancho de Ávila y don Lope
de Figueroa, quisiera   1310
yo que la entrada a estos montes
sólo a mí se me debiera:
llévame allá, porque quiero
mirarla y reconocerla.
ALCUZCUZ   (Engañifa a este crestiano *[Aparte.]* 1315
he de hacerle, e dar la vuelta
al Alpujarra.) Venilde
conmigo.
GARCÉS   Detente, espera;
que en ese cuerpo de guardia
dejé mi comida puesta   1320
cuando salí a hacer la posta,
y quiero volver por ella;
que en una alforja podré
(porque el tiempo no se pierda)
llevarla, para ir comiendo   1325
por el camino.

ALCUZCUZ	Así sea.
GARCÉS	Vamos, pues.
ALCUZCUZ	(Santo Mahoma, *[Aparte.]*

pues tú selde mi profeta,
lievarme, e a Meca iré,
aunque ande de ceca en meca.)   1330

(Vanse. Salen todos los que pudieren de MORISCOS, *y los*
MÚSICOS, *y después* DON FERNANDO VÁLOR *y* DOÑA
ISABEL TUZANÍ.)

D. FERNANDO   A la falda lisonjera
dese risco coronado,
donde sin duda ha llamado
a cortes la primavera,
   porque entre tantos colores   1335
de su república hermosa
quede jurada la rosa
por la reina de las flores,
   puedes, bella esposa mía,
sentarte. Cantad, a ver   1340
si la música vencer
sabe la melancolía.

1331-1334 *A la falda lisonjera ... la primavera:* la primavera, como época de floración, o las flores, en su conjunto, son representadas aquí como el reino o república de lo bello por excelencia, donde la rosa es la reina, proclamada como tal por las «cortes» de flores. La imagen de la primavera llamando a cortes es muy querida por Calderón: una redondilla casi idéntica se encuentra en *A secreto agravio, secreta venganza* («En la falda lisonjera / deste monte coronado / de flores, donde ha llamado / a cortes la primavera», *OC* II, pág. 429a), y la misma imagen figura en *La sibila de Oriente* («en la falda lisonjera / descansaré de este prado, / donde creo que ha fundado / su corte la primavera, / según las flores que veo», *OC* II, pág. 1166a) y en *El purgatorio de San Patricio* («Aquí pienso que llamó / a cortes la primavera / la noble y plebeya flor», *OC* II, pág. 205b).

1340-1342 *Cantad, a ver / si la música vencer / sabe la melancolía:* la música se consideraba tradicionalmente el mejor remedio contra la melancolía, y es idea que se repite frecuentemente en Calderón. Compárese, por ejemplo, en *Luis Pérez el Gallego:* «tú e Inés cantad; que así / en parte podré aliviar / mi tristeza y mi pesar» *(OC* II, pág. 297b) o en *Las manos blancas no ofenden:* «sólo el canto solía / templar tu melancolía» *(OC* I, pág. 1088).

DOÑA ISABEL   Abenhumeya valiente,
a cuya altivez bizarra,
no el roble del Alpujarra   1345
la corone solamente,
    sino el sagrado laurel,
árbol ingrato del sol,
cuando llore el español
su cautiverio cruel: 1350
    no es desprecio de la dicha
deste amor, desta grandeza,
mi repetida tristeza,
sino pensión o desdicha
    de la suerte; porque es tal   1355
de la fortuna el desdén,
que apenas nos hace un bien,
cuando le desquita un mal.
    No nace de causa alguna
esta pena (¡a Dios pluguiera!), *(Aparte.)*   1360
sino sólo desta fiera
condición de la fortuna,
    y si ella es tan envidiosa,
¿cómo puedo yo este miedo
perder al mal, si no puedo   1365
dejar de ser tan dichosa?
D. FERNANDO   Si la causa de mirarte
triste tu dicha ha de ser,
pésame de no poder,
mi Lidora, consolarte;   1370

1347 *laurel:* símbolo del imperio, por la tradición de hacer coronas honoríficas de laurel.

1348 *árbol ingrato del sol:* referencia al mito de Dafne narrado por Ovidio en el libro primero de las *Metamorfosis*, según el cual esta ninfa despreció los favores amorosos del dios-sol, Apolo, y se escapó de él convirtiéndose en laurel.

1354 *pensión:* 'trabajo, molestia o cuidado que lleva consigo la posesión o goce de una cosa' *(DRAE).*

1357-1358 *apenas nos hace un bien, / cuando le desquita un mal:* el verdadero sentido del discurso de Isabel es oculto para los presentes: ella, al recibir de la fortuna el «bien» de convertirse en reina, recibe a la vez el «mal» de casarse contra su voluntad, estando enamorada de don Juan de Mendoza.

que habrá tu melancolía
de ser cada día mayor,
pues que tu imperio y mi amor
son mayores cada día.
Cantad, cantad, su belleza   1375
celebrad, pues bien halladas,
siempre traen paces juradas
la música y la tristeza.

MÚSICA   *No es menester que digáis*
cúyas sois, mis alegrías;   1380
que bien se ve que sois mías
en lo poco que duráis.

(Sale MALEC, *llega a hablar a* [DON FERNANDO] VÁ-
LOR, *hincando la rodilla, y a los lados del paño salen* DON
ÁLVARO *y* DOÑA CLARA *en traje de moros y se quedan a las*
puertas.)

DOÑA CLARA   No es menester que digáis
cúyas sois, mis alegrías.
DON ÁLVARO   Que bien se ve que sois mías   1385
en lo poco que duráis.

(Siempre suenan los instrumentos, aunque se represente.)

1379-1382 *No es menester ... duráis:* Wilson y Sage *(Poesías líricas en las obras*
dramáticas de Calderón, Londres, Tamesis, 1964, pág. 87) han localizado este
bello estribillo en la *Primavera y flor de los mejores romances que han salido ahora*
nuevamente en esta Corte, recogidos de varios poetas, por el licenciado Pedro Arias Pé-
rez, Madrid, 1621, número 85 (hay edición moderna a cargo de José F. Mon-
tesinos, Valencia, 1951), con una variante en el tercer verso («que bien verán
que sois mías»). En el manuscrito 3657 de la Biblioteca Nacional de Madrid,
folio 614v., figura una glosa del estribillo tal como aparece en la comedia.
Según una nota en el margen, firmada por un tal Guzmán (folio 588r.), la glosa es de Diego de Silva y Mendoza, Conde de Salinas (1564-1630). No parece
probable, sin embargo, que sea este poeta mediocre el autor original del estribillo.
1382+ *en traje de moros:* con considerable veracidad histórica, Calderón insiste en el empeño que pusieron los moriscos en volver a sus anteriores costumbres. En tiempos más recientes, Julio Caro Baroja ha subrayado esta misma faceta de los moriscos sublevados *(op. cit.,* págs. 161-162).

DOÑA CLARA	¡Cuánto siento haber oído
	ahora aquesta canción!
DON ÁLVARO	¡Qué notable confusión
	la voz en mí ha introducido!

DON ÁLVARO ¡Qué notable confusión
la voz en mí ha introducido!   1390
DOÑA CLARA Pues cuando mi casamiento
a tratar mi padre viene...
DON ÁLVARO Pues cuando dichas previene
amor, a mi amor atento...
DOÑA CLARA ...glorias mías, escucháis...   1395
DON ÁLVARO ...escucháis, mis fantasías...
MÚS. Y ELLOS *...que bien se ve que sois mías*
en lo poco que duráis.
MALEC   Señor, pues entre el estruendo
de Marte el amor se ve   1400
tan hallado, bien podré
decirte cómo pretendo
dar a Maleca marido.
D. FERNANDO Quién fue tan feliz, me di.
MALEC Tu cuñado Tuzaní.   1405
D. FERNANDO Muy cuerda elección ha sido,
pues uno y otro fiel
a preceptos de su estrella,
él no viviera sin ella,
y ella muriera sin él.   1410
¿Adónde están?

(Llegan DON ÁLVARO *y* DOÑA CLARA.*)*

DOÑA CLARA   A tus pies
alegre llego.
DON ÁLVARO   Y yo ufano,
para que nos des tu mano.
D. FERNANDO Mis brazos tomad, y pues
en nuestro docto Alcorán   1415
(ley que ya todos guardamos)

1400-1401 *Marte; amor:* Marte y Venus, o guerra y amor, tradicionalmente
opuestos en la iconografía.
1408 *su estrella:* la inclinación que reciben de los astros; su destino.

	más ceremonias no usamos	
	que las prendas que se dan	
	dos, dé a Maleca divina	
	sus arras el Tuzaní.	1420
DON ÁLVARO	Todo es poco para ti,	
	a cuya luz peregrina	
	se rinde el mayor farol;	
	y así temo, porque arguyo	
	que es darle al sol lo que es suyo	1425
	darle diamantes al sol;	
	aqueste un Cupido es,	
	de sus flechas guarnecido,	
	que aun de diamantes Cupido	
	viene a postrarse a tus pies;	1430
	ésta una sarta de perlas,	
	de quien duda quien ignora	
	que las llorara la Aurora	
	si tú habías de cogerlas.	
	Ésta es una águila bella,	1435
	del color de mi esperanza;	
	que sólo una águila alcanza	
	ver el sol que mira ella.	
	Un clavo para el tocado	
	es este hermoso rubí,	1440
	que ya no me sirve a mí,	
	pues mi fortuna ha parado.	

1419 *dos, dé a Maleca divina:* enmiendo el verso, combinando la lectura de VT («dos, dele a Maleca divina») con la de TA («Dos —De a Maleca divina»). Es el único verso métricamente defectuoso en VT.

1423 *el mayor farol:* el sol. La identificación de la belleza femenina con la luz del sol es habitual en Calderón y procede de una larga tradición neoplatónica.

1433 *que las llorara la Aurora:* en forma de rocío, que en poesía se representa metafóricamente como perlas. Aurora es la diosa pagana del amanecer.

1437-1438 *sólo una águila alcanza / ver el sol que mira ella:* 'según algunos autores, entre todas las demás aves, [el águila] sola no es herida del rayo, y los del sol mira de hito en hito' *(Cov.)*. «Ella» es aquí la esperanza de don Álvaro, la cual «mira» —tiene sus miradas puestas en— la belleza de Clara, que es un «sol» en sentido metafórico.

1442 *mi fortuna ha parado:* don Álvaro quiere decir que el clavo ya le ha servido para parar la rueda de la diosa Fortuna en su punto más alto para él. Esto,

	Estas memorias... Mas no	
	las tomes; que en tales glorias,	
	quiero que tengas memorias	1445
	tú, sin traértelas yo.	
DOÑA CLARA	Las arras, Tuzaní, aceto,	
	y a tu amor agradecida,	
	traerlas toda mi vida	
	en tu nombre te prometo.	1450
DOÑA ISABEL	Y yo os doy el parabién	
	de aqueste lazo inmortal	
	(que ha de ser para mi mal). *(Aparte.)*	
MALEC	Ea pues, las manos den	
	albricias al alma.	
DON ÁLVARO	Puesto	1455
	a tus pies estoy.	
DOÑA CLARA	Los brazos	
	conformen eternos lazos.	
LOS DOS	Yo soy feliz.	

(Al darse las manos, tocan cajas.)

TODOS	Mas ¿qué es esto?	
MALEC	Cajas españolas son	
	las que atruenan estos riscos,	1460
	que no tambores moriscos.	
DON ÁLVARO	¿Quién vio mayor confusión?	
D. FERNANDO	Cese la boda, hasta ver	
	qué novedad causa ha sido...	
DON ÁLVARO	¿Ya, señor, no lo has sabido?	1465
	¿Qué más novedad que ser	

---

sin embargo, se sabe que es imposible y, efectivamente, a partir de aquí empieza la «caída» de la fortuna para los recién casados.

1445 *memorias:* don Álvaro juega sin duda con un doble sentido de la palabra «memorias». Se refiere probablemente a unos anillos, ya que, como señala Covarrubias, «memorias» podía significar 'dos anillos juntos, que se traen en el dedo por memoria de alguna cosa'.

1457 *conformen:* adopto la enmienda de Hartzenbusch, necesaria para dar sentido al texto. VT da «formen con».

                              dichoso yo? Pues el sol
                              mira apenas mi ventura,
                              cuando eclipsan su luz pura
                              las armas del español.   1470

(Vuelven a tocar y sale ALCUZCUZ, *con unas alforjas al
hombro.)*

ALCUZCUZ   ¡Gracias a Mahoma y Alá,
                   que a tus pies haber llegado!
DON ÁLVARO   Alcuzcuz, ¿dónde has estado?
ALCUZCUZ   Ya todos estar acá.
D. FERNANDO   ¿Qué te ha sucedido?
ALCUZCUZ   Yo   1475
                   hoy de posta estar, e aposta
                   liego aquí, aunque por la posta.
                   Quien por detrás me cogió
                      lievóme con otros dos
                   a un don Juan, que ahora es venido,   1480
                   e, crestianilio fingido,
                   decirle que creer en Dios.
                      No me dio muerte; cativo
                   ser del soldado crestiano,
                   que no se lavará en vano.   1485
                   A éste apenas le apercibo
                      que senda saber por dónde
                   poder la Alpojarra entrar,
                   cuando la querer mirar.
                   De camaradas se esconde,   1490
                      e aquesta forja me dando
                   donde venir su comida,
                   por una parte escondida
                   entrar los dos camenando.
                      Apenas solo le ver,   1495
                   cuando, sin que seguir pueda,

1485 *no se lavará en vano:* acaso una deformación de «no se alabará en
vano», pero también puede tratarse de una alusión a la suciedad de Garcés,
quien, como cristiano, no tiene la costumbre de los baños.

fui por el monte, e se queda
sin cativo e sin comer;
  porque aunque me seguir quiso,
una trompa que salir   1500
de moros, le hacer huir:
e yo venir con aviso
  de que ya muy cerca dejo
don Juan de Andustria en campaña,
a quien decir que compaña   1505
el gran Marqués de Mondejo
  con el Marqués de Luzbel,
y el que fremáticos doma,
don Lope Figura-roma,
y Sancho Débil con él: 1510
  todos hoy a la Alpojarra
venir contra ti.

D. FERNANDO   No digas
más, porque a cólera obligas
mi altivez siempre bizarra.

DOÑA ISABEL   Ya desde esa excelsa cumbre,   1515
donde tropezando el sol
o teme ajar su arrebol
o teme apagar su lumbre,
  ni bien ni mal se divisan
entre varias confusiones   1520
los armados escuadrones
que nuestros términos pisan.

DOÑA CLARA   Grande gente ha conducido
Granada a aquesta facción.

1504-1510 *don Juan de Andustria; el gran Marqués de Mondejo; el Marqués de
Luzbel; don Lope Figura-roma; Sancho Débil:* estudiosos como Alcalá-Zamora,
Cruickshank, Delgado Morales o Ruiz Lagos han visto en la deformación de
los nombres de los nobles cristianos un intento de ridiculizarlos por parte
de Calderón, pero hay que señalar que la grandeza de estos mismos mandos
militares ha sido exaltada efusivamente en los vv. 1163-1225. Lo cierto es
que este tipo de deformaciones lingüísticas fija la atención más que nada en
los defectos de quien habla: es Alcuzcuz quien resulta risible, no las personas aludidas.

D. FERNANDO	Pocos muchos mundos son,	1525
	si a vencerme a mí han venido,	
	aunque fuera el que sujeta	
	ese hermoso laberinto,	
	como hijo de Carlos Quinto,	
	hijo del quinto planeta;	1530
	porque aunque estos horizontes	
	cubran de marciales señas,	
	serán su pira estas peñas,	
	serán su tumba estos montes.	
	Y pues se viene acercando	1535
	ya la ocasión, advertidos,	
	no ya desapercibidos	
	nos hallen, sino esperando	
	todo su poder; y así,	
	su puesto ocupe cualquiera,	1540
	Malec se vaya a Galera,	
	vaya a Gabia Tuzaní,	
	que yo en Berja me estaré,	
	y a quien Alá deparare	
	la suerte, que Alá le ampare,	1545
	pues suya la causa fue.	
	Id a Gabia; que la gloria	
	que hoy es de amor interés,	
	celebraremos después	
	que quedemos con vitoria.	1550

(Vanse TODOS, *y quedan* DON ÁLVARO, DOÑA CLARA,
ALCUZCUZ *y* BEATRIZ, *criada.)*

DOÑA CLARA   *No es menester que digáis*
cúyas sois, mis alegrías.

1525 *Pocos muchos mundos son:* «muchos mundos son pocos», es decir, que muchos mundos no bastarían para vencerle. Como tantas veces en Calderón, aparece la soberbia como gran defecto de los reyes.

1530 *el quinto planeta:* Marte.

1551-1594 Hartzenbusch añade a las intervenciones de Clara y Álvaro cada vez: *«Para sí».* Los vv. 1595-1596 parecen legitimar tal interpolación.

DON ÁLVARO	*Que bien se ve que sois mías*
	en lo poco que duráis.
DOÑA CLARA	Alegrías mal logradas, 1555
	antes muertas que nacidas...
DON ÁLVARO	Rosas sin tiempo cogidas,
	flores sin sazón cortadas...
DOÑA CLARA	...si rendidas, si postradas.
	a un ligero soplo estáis... 1560
DON ÁLVARO	...no digáis que el bien gozáis...
DOÑA CLARA	...pues siendo para perder,
	que sintáis es menester...
DON ÁLVARO	*...no es menester que digáis.*
DOÑA CLARA	Alegrías de un perdido, 1565
	aborto sois de un cuidado,
	puesto que habéis espirado
	primero que habéis nacido.
	Si acaso, si yerro ha sido
	hallarme vuestras porfías 1570
	por otra, no estéis baldías
	conmigo un rato pequeño:
	dejadme, y buscad el dueño
	cúyas sois, mis alegrías.
DON ÁLVARO	Por gran maravilla os toco, 1575
	dichas; luego bien moristeis;
	que si maravilla fuisteis,
	fuerza fue vivir tan poco.
	De contento estuve loco,
	y ya de melancolías: 1580
	¡Qué bien, qué bien, alegrías,
	se ve que sois de otro, a quien
	buscáis! Y ¡ay, penas, qué bien,
	qué bien se ve que sois mías!

1569 *acaso:* 'suceso fortuito'.

1577-1578 *si maravilla fuisteis / fuerza fue vivir tan poco:* juego con el doble sentido de la palabra «maravilla», con la que se designan varios tipos de flor. Probablemente, Calderón tiene en mente la caléndula, cuyas flores se cierran al anochecer (de ahí la referencia al «vivir tan poco»). Las flores son un símbolo habitual en Calderón para significar lo frágil y fugaz, como en este caso, o anteriormente en los vv. 1557-1560.

DOÑA CLARA	Aunque si ser pretendéis	1585
	alegrías, bien hicisteis...	
DON ÁLVARO	...pues que dos veces fuisteis	
	en una que os deshacéis.	
DOÑA CLARA	Dos veces desde hoy seréis	
	venturosas.	
LOS DOS	Lo mostráis	1590
	en la prisa con que os vais	
	cuando a mi alivio acudís...	
DON ÁLVARO	...en lo tarde que venís...	
DOÑA CLARA	*...en lo poco que duráis.*	
DON ÁLVARO	Hablando estaba conmigo	1595
	a solas, porque no sé	
	si en tantas penas podré	
	hablar, Maleca, contigo.	
	Cuando era mi amor testigo	
	desta vitoriosa palma,	1600
	vuelve a suspenderse en calma;	
	y así calla, porque es mengua	
	que quiera alzarse la lengua	
	con los afectos del alma.	
DOÑA CLARA	El hablar es libre acción,	1605
	pues puede un hombre callar;	
	el oír no, porque ha de estar	
	eso en ajena razón;	
	y es tanta mi suspensión	
	que, ocupada del sentir,	1610
	no oiré lo que has de decir:	
	¿qué mucho en tanto pesar	
	que tú no estés para hablar,	
	si yo no estoy para oír?	
DON ÁLVARO	El rey a Gabia me envía,	1615
	tú a Galera vas, y amor,	
	luchando con el honor,	

1591-1592 *en la prisa con que os vais / cuando a mi alivio acudís:* adopto la enmienda de Hartzenbusch, que da a la décima la rima correcta *abbaaccddc*. VT da «cuando a mi alivio acudís, / en la prisa con que os vais».

1601 *calma:* 'sofoco' *(DRAE).*

	se rinde a su tiranía.	
	Quédate ahí, esposa mía,	
	y piadoso el cielo quiera	1620
	que el cerco que nos espera,	
	que el poder que nos agravia,	
	me vaya a buscar a Gabia,	
	porque te deje en Galera.	
DOÑA CLARA	¿De suerte que no podré	1625
	verte, hasta ver acabada	
	esta guerra de Granada?	
DON ÁLVARO	Sí podrás, que yo vendré	
	todas las noches, porqué	
	dos leguas que hay en rigor	1630
	de allí a Gabia, será error	
	no volarlas mi deseo.	
DOÑA CLARA	Mayores distancias creo	
	que sabe medir amor.	
	Yo en el postigo estaré	1635
	esperándote del muro.	
DON ÁLVARO	Y yo, de ese amor seguro,	
	cada noche al muro iré.	
	Dame los brazos, en fe. *(Cajas.)*	
DOÑA CLARA	Cajas vuelven a tocar.	1640
DON ÁLVARO	¡Qué desdicha!	
DOÑA CLARA	¡Qué pesar!	
DON ÁLVARO	¡Qué padecer!	
DOÑA CLARA	¡Qué sentir!	
	¿Esto es amar?	
DON ÁLVARO	Es morir.	
DOÑA CLARA	Pues ¿qué más morir que amar?	

(Vanse los dos y queda[n] BEATRIZ *y* ALCUZCUZ.*)*

BEATRIZ	Alcuzcuz, llégate aquí,	1645
	pues solos hemos quedado.	

1620-1624 *piadoso ... en Galera:* hay en estas palabras de don Álvaro una
ominosa ironía dramática, que no se manifestará hasta el siguiente cuadro,
cuando los mandos del ejército cristiano deciden cercar primero Galera.

ALCUZCUZ	Zarilia, aquese recado
	¿ser al alforja, o a mí?
BEATRIZ	¿Que siempre has de estar de gorja,
	aunque todo sea tristeza?	1650
	Escúchame.
ALCUZCUZ	Esa fineza
	¿ser a mí, o ser al alforja?
BEATRIZ	A ti es; pero ya que así
	ella mi amor atropella,
	tengo de ver qué hay en ella.	1655
ALCUZCUZ	Luego ser a elia, e no a mí.

(Va sacando lo que dicen los versos.)

BEATRIZ	Esto es tocino... y condeno
	traerlo tú deste modo.
	Éste es vino. ¡Ay de mí, todo
	cuanto traes aquí es veneno!	1660
	Yo no lo quiero tocar
	ni ver, Alcuzcuz. Advierte
	que puede darte la muerte
	si lo llegas a probar. *(Vase.)*
ALCUZCUZ	Todos de voneno llenos	1665
	estar, sí: ya lo creer,
	pues Zara decir, que ser
	sierpe e saber de vonenos.
	Y aún otra razón más clara
	es de que el voneno vio	1670

1647 *Zarilia:* de acuerdo con el decreto atribuido a Abén Humeya en los vv. 1099-1100, Beatriz ha pasado a llamarse Zara ('nombre de mora, vale en arábigo tanto como recogida, secreta, retirada', *Cov.).

1649 *estar de gorja:* 'estar alegre', 'bromear'.

1659-1660 *todo / cuanto traes aquí es veneno:* por estar prohibido el consumo de alcohol y de carne de cerdo en el Islam.

1663 *puede:* adopto la enmienda de Hartzenbusch, ya que el sentido exige poner el verbo en singular.

1667-1668 *pues Zara decir, que ser / sierpe e saber de vonenos:* adopto la genial enmienda de Hartzenbusch. VT da «pues Zara decir que ser / siempre saber de vonenos».

Zara, que no le probó,
con ser tan golosa Zara.
  El crestianilio sin duda
matar a Alcuzcuz quería.
¿Hay tan gran beliaquería?   1675
Mahoma librarme pudo,
  porque a Meca le ofrecer
ir a ver el Zancarrón. *(Cajas.)*
Más cerca escochar el son,
y ya de divisos ver   1680
  en trompas el monte lieno.
Seguir quiero al Tozaní.
¿Haber alguien por ahí
que querer deste voneno? *(Vase.)*

(Salen marchando DON JUAN DE AUSTRIA, DON LOPE
DE FIGUEROA, DON JUAN DE MENDOZA *y* SOLDADOS.)

MENDOZA   Desde aquí se dejan ver   1685
                 mejor las señas, al tiempo
                 que, ya declinando, el sol
                 está pendiente del cielo.
                 Aquella villa que a mano
                 derecha, sobre el cimiento   1690
                 de una dura roca, ha tantos
                 siglos que se está cayendo,
                 es Gabia la alta; y aquella
                 que tiene a su lado izquierdo,
                 de quien las torres y riscos   1695
                 están siempre compitiendo,
                 es Berja; y Galera es ésta,
                 a quien este nombre dieron

1678 *el Zancarrón:* 'Llaman [así] por irrisión los huessos de este falso Pro-
pheta, que van a visitar los Moros a la Mezquita de Meca' *(Aut.).* La idea de que
se veneraban dichos huesos era muy extendida; véase José María Perceval,
«L' "Os" de Mahomet: à propos de pattes, de bras et autres objets putrescibles
et imputrescibles», en *Les Temps Modernes,* 507 (1988), págs. 1-21.

	porque con su fundación	
	es así, o ya porque vemos	1700
	que, a piélagos de peñascos	
	ondas de flores batiendo,	
	sujeta al viento, parece	
	que se mueve con el viento.	
DON JUAN	Destas dos fuerzas la una	1705
	se ha de sitiar.	
DON LOPE	Pues miremos	
	cuál tiene disposición	
	más al propósito nuestro,	
	y manos a la labor;	
	que pies no están para eso.	1710
DON JUAN	Aquel morisco rendido	
	me traed, y dél sabremos	
	si trata verdad o no	
	en lo que fuere diciendo.	
	¿Dónde está Garcés, a quien	1715
	se le di por prisionero?	
MENDOZA	No le he visto desde entonces.	
GARCÉS	¡Ay de mí! *(Dentro.)*	
DON JUAN	Mirad qué es eso.	

(Sale GARCÉS *herido, cayendo.)*

GARCÉS	Yo soy; que a tus plantas no	
	llegara menos que muerto.	1720
MENDOZA	Garcés es.	
DON JUAN	¿Qué ha sucedido?	
GARCÉS	Tu alteza perdone un yerro	
	por un aviso.	
DON JUAN	Decid.	
GARCÉS	Aquel morisco, aquel preso	
	que me entregaste, te dijo	1725
	que venía con intento	
	de entregarte el Alpujarra;	

1699 *con su fundación:* «desde su fundación».

144

yo, señor, con el deseo
de saber el paso, y ser
el que la entrase el primero   1730
(que aun la ambición del honor
no es ambición de provecho),
dije que me la enseñara.
Seguíle a solas por esos
laberintos donde el sol   1735
aun se pierde por momentos,
con andarlos cada día.
Apenas entre dos cerros
él se vio conmigo, cuando,
por los peñascos subiendo,   1740
dio voces, y ya a sus voces
o a las que le hurtaba el eco,
respondieron unas tropas
de moros, que descendiendo,
a la presa se avanzaban   1745
como quien son, como perros.
Inútil fue la defensa,
y en fin, en mi sangre envuelto,
discurrí el monte a ampararme
de las hojas, cuando veo   1750
debajo de las murallas
de Galera, donde llego,
abierta una boca, un
melancólico bostezo
del peñasco sobre quien   1755
estriba, que con el peso
del edificio, sin duda
gimió, y por quedar gimiendo
siempre, no volvió a cerrarle,
y se le dejó entreabierto.   1760
Aquí, pues, me eché, y aquí,

1746 *como perros*: véase la nota al v. 1231.
1754 *melancólico bostezo:* otro eco del *Polifemo* de Góngora, que en su estrofa sexta describe la cueva del cíclope como el «melancólico vacío» de un «bostezo de la tierra».

o fue porque no me vieron,
o porque ya sepultado
me dejaron como muerto,
de aquesta manera estuve   1765
el sitio reconociendo;
y en fin, Galera minada
de los ardides del tiempo
(que para sitios de peñas
es el mejor ingeniero)   1770
está; y como tú sobre ella
te pongas, podrás con fuego
volar la funesta boca,
que es muy posible ganemos
sin esperar lo prolijo   1775
de sitiarla; y yo te ofrezco
hoy por una vida cuantas
Galera contiene dentro;
sin que pueda con mi rabia,
sin que valgan con mi acero,   1780
ni en los niños la piedad,
ni la clemencia en los viejos,
ni el respeto en las mujeres;
que con esto lo encarezco.

1764 *como muerto:* todas las ediciones antiguas ponen un punto al final de este verso, por lo que la frase carece de predicado. La coma introducida por Hartzenbusch no da una solución del todo satisfactoria, ya que establece una relación poco lógica entre «aquí no me vieron o me dejaron como muerto» y «aquí estuve el sitio reconociendo»; pero tiene al menos la virtud de la corrección gramatical. Acaso faltan versos entre los vv. 1764 y 1765.

1773 *volar la funesta boca:* todos los textos dan «volarla, como esta boca», lo cual no parece tener sentido. Enmiendo el verso teniendo en cuenta el frecuente empleo por Calderón de la expresión gongorina «funesta boca» al hablar de la entrada de una cueva, como en *La estatua de Prometeo* («tan solamente veo / a escaso viso la funesta boca / de una entreabierta roca», *OC* II, pág. 2073b) o en *Fortunas de Andrómeda y Perseo,* donde la entrada de una «horrorosa gruta» es llamada «esta funesta boca» *(OC* II, pág. 1675a). Una confusión auditiva entre «funesta» y «como esta» en algún momento de la transmisión textual es fácil de imaginar.

1776 *sitiarla:* acepto la lectura de VT, que es la más convincente en el contexto, aunque la variante de TA —«picarla»— no carece de sentido, pudiéndose referir a «picar la mina» o «picar la funesta boca».

DON JUAN	Retirad ese soldado. *(Llévanle.)*	1785
	Ya tomo por buen agüero,	
	don Lope de Figueroa,	
	saber de Galera esto;	
	que desde que oí que había	
	en el Alpujarra pueblo	1790
	que Galera se llamaba,	
	la quise poner el cerco,	
	por ver si, como en el mar,	
	dicha en las galeras tengo	
	en la tierra.	
DON LOPE	Pues ¿qué aguardas?	1795
	Vamos a ocupar los puestos;	
	que ésta es la hora mejor,	
	pues de noche, sin estruendo	
	podremos llegarnos más.	
	A Galera marche el tercio.	1800
UN SOLDADO	Pase la palabra.	
OTRO	Pase.	
SOLDADOS	A Galera.	
DON JUAN	Dadme, cielos,	
	fortuna, como en el agua,	
	en la tierra, porque opuestos	
	aquella naval batalla	1805
	y este cerco campal, luego	
	pueda decir que en la tierra	
	y en la mar tuve en un tiempo	
	dos victorias, que, confusas,	
	aun no distinga yo mesmo	1810
	de un cerco y una naval,	
	cuál fue la naval o el cerco.	

(Vanse, y sale[n] DON ÁLVARO *y* ALCUZCUZ.)

1793-1795 *por ver si ... tierra:* acaso un eco de esta frase antitética de Hurtado de Mendoza: «[el Rey] ocuparía a don Juan en hechos de tierra, como lo
estaba en los de mar» (ed. cit., pág. 200).

DON ÁLVARO	Vida y honor, Alcuzcuz,	
	hoy a tu cuidado dejo,	
	pues ya ves que si se sabe	1815
	que falto de Gabia y vengo	
	a Galera, honor y vida	
	en sólo un instante pierdo.	
	Con esa yegua te queda,	
	mientras yo en el jardín entro;	1820
	que luego salgo, y es fuerza	
	que hemos de volvernos luego	
	a entrar en Gabia antes que	
	en Gabia nos echen menos.	
ALCUZCUZ	Sempre a te servir me obligo,	1825
	y aunque con tal prisa vengo	
	que aun no me diste lugar	
	de dejalde en mi aposento	
	este alforja, sin menear	
	aquí haliar en este puesto.	1830
DON ÁLVARO	Si de aquí faltas, la vida	
	te he de quitar, vive el cielo.	

(Sale a una puerta DOÑA CLARA.*)*

DOÑA CLARA	¿Eres tú?	
DON ÁLVARO	Pues ¿quién pudiera	
	ser tan fiel?	
DOÑA CLARA	Entra presto;	
	no acierten a conocerte,	1835
	si en el muro te detengo. *(Vanse.)*	
ALCUZCUZ	¡Vive Alá, que me dormir!	
	pesado estar, sonior suenio.	
	No haber oficio tan malo	
	como el de ser alcahuetos,	1840

1820 *el jardín:* no se ha mencionado jardín alguno hasta este momento, ni se mencionará más adelante; don Álvaro y doña Clara han quedado en verse en «el postigo del muro» (vv. 1635-1636). Las convenciones literarias llevaban ya siglos dictando que los encuentros amorosos tengan lugar en un jardín, espacio antes alegórico que real.

porque todos los oficios
trabajar para si mesmos,
e alcahueto para el otros.
Jó, yegua. A mi cuento vuelvo;
que vencer el suenio así.   1845
Tal vez se hace el zapatero
zapatos, tal vez se hacer
el jastre el vestido nuevo,
el cocinero probar
si estar el guisado bueno,   1850
hacer el pastel hechizo
e comerle el pastelero;
en fin, alcahueto sólo
no es para sí de provecho,
pues ni calzar lo que cose   1855
ni probar lo que está haciendo.
Jó. ¡Que se tomó, ¡ay de mé!,
el yegua, e se me ir corriendo!
Jó, yegua, detente e hacer
esto que te estar pidiendo;   1860
que yo hacer por ti otra cosa
que me pedir tú. No puedo
alcanzar. ¡Ay, Alcuzcuz!
¡Muy buena hacienda haber hecho!
En que volverse mi amo,   1865
que él me ha de matar ser cierto,
pues ser forzoso que a Gabia
no poder liegar a tiempo.
He aquí que sale e decir:
Dar el yegua. —No le tengo.   1870
—¿Qué le hacer? —Fuéseme el yegua.
—¿Por dónde? —Por esos cerros.
—Mataréte. ¡Zas!, e dame
con el daga por el pecho.

1846 *tal vez:* 'de vez en cuando'.

1865 *En que volverse mi amo:* sigo la puntuación de TA, ya que VT pone el
verso como interrogante («¿En qué volverse mi amo?»). El sentido parece ser:
«En cuanto se vuelva mi amo».

Pues si habemos de morer, 1875
Alcuzcuz, con el acero,
y hay mortes en que escoger,
murámonos de voneno,
que es morte más dolce; vaya,
pus que ya el vida aborrezco. 1880

(Saca una bota de la alforja y bebe.)

Mejor ser morer así,
pues no morer, por el menos,
bañado un hombre en su sangre.
¿Cómo estar? Bueno me siento.
No ser el voneno fuerte; 1885
e si es que morer pretendo,
más voneno es menester. *(Bebe.)*
No ser frío, a lo que bebo
el voneno ser caliente;
sí, pues arder acá dentro. 1890
Más voneno es menester, *(Bebe.)*
que muy poco a poco muero.
Ya parece que se enoja,
pues que ya va haciendo efecto;
que los ojos se me turbian 1895
e se me traba el cerebro,
el lengua ponerse gorda
e saber el boca a herro.
Ya que muero, no dejar *(Bebe.)*
para otro matar voneno, 1900
será piedad. ¿Dónde estar
me boca, que no la encuentro? *(Cajas.)*

[UN MORISC.] Centinelas de Galea, *(Dentro.)*
al arma.

ALCUZCUZ   ¿Qué ser aquesto?
Mas si relámpagos hay, 1905
¿quién duda que ha de haber truenos?

(Salen DON ÁLVARO *y* DOÑA CLARA *asustados.)*

150

DOÑA CLARA	Las centinelas, señor,
	hacen en las torres fuego.
DON ÁLVARO	Sin duda el campo cristiano,
	en el nocturno silencio 1910
	amparado de las sombras,
	sobre Galera se ha puesto.
DOÑA CLARA	Vete, señor; que ya ves
	todo el castillo revuelto.
DON ÁLVARO	¿Y será gloriosa acción 1915
	que digan de mí que dejo
	sitiada a mi dama...
DOÑA CLARA	¡Ay triste!
DON ÁLVARO	...y que las espaldas vuelvo?
DOÑA CLARA	Sí, que en defender a Gabia
	está tu honor de por medio, 1920
	y quizá han ido sobre ella;
	también es de advertir esto.
DON ÁLVARO	¿Quién vio mayor confusión
	que yo en un punto padezco?
	Mi honor y mi amor están 1925
	dándome voces a un tiempo.
DOÑA CLARA	Responde a las de tu honor.
DON ÁLVARO	Antes responder pretendo
	a las dos.
DOÑA CLARA	¿De qué manera?
DON ÁLVARO	En llevarte me resuelvo 1930
	conmigo; que si en dejarte
	y en no dejarte me pierdo,
	corra mi honor y mi amor
	una fortuna y un riesgo.
	Vente conmigo: una yegua, 1935
	veloz injuria del viento,
	nos llevará.

1908 *hacen en las torres fuego:* adopto la lectura de TA. Se trata sin duda de una «almenara», fuego hecho sobre una atalaya o torre, a las que Mármol Carvajal se refiere en diversas ocasiones como el método habitual empleado por los moriscos para avisar de la presencia de tropas enemigas. VT da «hacen las torres de fuego».

DOÑA CLARA	Con mi esposo
	voy; nada aventuro en esto.
	Tuya soy.
DON ÁLVARO	¡Hola, Alcuzcuz!
ALCUZCUZ	¿Quién llama?
DON ÁLVARO	Yo soy, trae presto 1940
	la yegua.
ALCUZCUZ	¿El yegua?
DON ÁLVARO	¿Qué aguardas?
ALCUZCUZ	Aguardo el yegua, que luego
	me decir que volvería.
DON ÁLVARO	Pues ¿dónde está?
ALCUZCUZ	Fuese huyendo;
	mas yegua es de su palabra, 1945
	e volver luego al momento.
DON ÁLVARO	¡Viven los cielos! ¡Traidor!
ALCUZCUZ	No tocar a mé, teneros,
	porque estar avonenado,
	e matar con el aliento. 1950
DON ÁLVARO	Que tengo de darte muerte.
DOÑA CLARA	Detente. ¡Ay de mí!

(Va a detenerle, y finge herirse la mano.)

DON ÁLVARO	¿Qué es eso?
DOÑA CLARA	Por detenerte, la mano
	me corté con el acero.
DON ÁLVARO	Cueste esa sangre una vida. 1955
DOÑA CLARA	Pues por la mía te ruego
	que no le mates.
DON ÁLVARO	¿Qué en mí
	no podrá ese juramento?
	¿Es mucha la sangre?
DOÑA CLARA	No.
DON ÁLVARO	Apriétate a ella ese lienzo. 1960

1952+ *finge herirse:* con toda probabilidad, la acotación se aplica a la actriz, que sólo *finge* herirse, y no al personaje, que se hiere de verdad.

DOÑA CLARA	Y pues ves que no es posible	
	seguirte ya, vete presto:	
	que no siéndolo en un día	
	ganar la villa, yo ofrezco	
	irme mañana contigo,	1965
	pues nos queda el paso abierto	
	siempre por aquesta parte.	
DON ÁLVARO	Con esa esperanza acepto	
	el partido.	
DOÑA CLARA	Alá te guarde.	
DON ÁLVARO	¿Para qué, si yo aborrezco	1970
	vivir ya?	
ALCUZCUZ	Pues aquí haber	
	para la perder remedio:	
	que a mí me sobrar un poco	
	de dolcísimo voneno.	
DOÑA CLARA	Vete, pues.	
DON ÁLVARO	¡Qué triste voy!...	1975
DOÑA CLARA	Y yo, ¡qué afligida quedo!...	
DON ÁLVARO	...por saber qué opuesta estrella...	
DOÑA CLARA	...por saber qué hado severo...	
DON ÁLVARO	...es éste que entre mi amor...	
DOÑA CLARA	...es el que entre mis deseos...	1980
DON ÁLVARO	...siempre se pone...	
DOÑA CLARA	...está siempre...	
DON ÁLVARO	...a mis desdichas atento...	
DOÑA CLARA	...puesto que un arma cristiana	
	nos estorba por momentos.	
ALCUZCUZ	¿Esto es dormir o morer?	1985
	Mas todo diz que es el mesmo,	
	y ser verdad, pues no sé	
	si me muero o si me duermo.	

.

1979 *es éste:* aunque el antecedente parece ser «estrella», el pronombre aparece en todos las ediciones en masculino, lo mismo que «atento» en el v. 1982 (como además exige la asonancia del verso). Habrá que considerarse como antecedente «hado», que en este contexto es sinónimo de «estrella».

Jornada tercera

(Sale DON ÁLVARO, *solo, como de noche, y estará* ALCUZCUZ *como durmiendo en el tablado.)*

DON ÁLVARO   Noche pálida y fría,
a tu silencio dignamente fía   1990
mi esperanza su empleo,
mi amor su dicha, mi alma su trofeo,
pues en ti (aunque a pesar de tanta estrella)
dará más noble luz Maleca bella,
cuando redes y lazos   1995
robada finja entre mis dulces brazos.
En alas del cuidado,
como a un cuarto de legua ya he llegado
de Galera. Esta parte,
donde naturaleza obró sin arte   2000
cerrados laberintos
de hojas, ni bien confusos ni distintos,
nocturno albergue sea
del caballo, y pues nadie hay que me vea,
quede a ese tronco atado,   2005
más seguro a las riendas hoy fiado
un bruto, que al cuidado ayer de un hombre

1993 *aunque a pesar de tanta estrella:* nuevo eco de Góngora, esta vez de la *Soledad primera:* «aun a pesar de las estrellas clara» (v. 72). Es curioso que la palabra final del verso de Góngora que omite Calderón sea precisamente el nombre «cristiano» de Maleca, Clara.

que... Mas no hay accidente que no asombre
un pecho enamorado,

         [(Tropieza en ALCUZCUZ.*)*

si bien este accidente   2010
con justa causa mi valor le siente,
pues cuando al muro ya a acercarme empiezo,
en un cadáver mísero tropiezo.
Todo cuanto hoy he visto, todo cuanto
he hallado, es asombro, horror y

           [espanto. 2015

¡Ay infelice, ay triste,
oh tú, que monumento el monte hiciste!
Mas no: ¡ay dichoso, oh tú, que con la muerte
mejoraste las ansias de tu suerte!
¡Con qué de sombras lucho!   2020

(Despierta ALCUZCUZ.*)*

ALCUZCUZ	¿Quién es que me pisar?
DON ÁLVARO	¡Qué veo! ¡Qué

              [escucho!
      ¿Quién va? ¿Quién es?

ALCUZCUZ	Alcuzcuz,

que aquí esperar le mandaste
con el yegua, y aquí estar,
sin que me haber visto nadie.   2025
Si haber de volver a Gavio
hoy, ¿cómo salir tan tarde?
Mas siempre haber al partirse
gran perecilia entre amantes.

DON ÁLVARO	Alcuzcuz, ¿qué haces aquí?	2030

2009+ *Tropieza en Alcuzcuz:* por una especie de causalidad mágica, Álvaro, al pensar en Alcuzcuz, tropieza con él. A la vez, este tropiezo con lo que cree ser un cadáver prefigura la acción posterior, que verá a don Álvaro entrar en Galera «tropezando en cuerpos muertos» (v. 2168). La alteración que produce en el Tuzaní dicho tropiezo se expresa también a través de la alteración de la secuencia de rimas pareadas, introduciendo un verso que rima en dos versos anteriores, 2005 y 2006.

2017 *monumento:* 'túmulo'.

ALCUZCUZ	¿Cómo preguntar qué haces
	a Alcuzcuz, si te esperar
	desde que por porta entraste
	del muro a ver a Maleca?
DON ÁLVARO	¿Quién vio cosa semejante? 2035
	Pues ¿desde anoche, que fue
	eso, estás aquí?
ALCUZCUZ	¿Qué hablalde
	desde anoche? Si no haber
	que me dormir un instante
	con un mal voneno que 2040
	tomar porque me matase,
	de miedo de que la yegua
	ir por essos andurriales?
	Mas pues ya es el yegua vuelta
	y voneno no matarme 2045
	(que Alá mejorar el horas),
	vamos, pues.
DON ÁLVARO	¡Qué disparates!
	Tú estabas borracho anoche.
ALCUZCUZ	Si hay vonenos que emborrachen,
	sí estar, y creerlo ahora 2050
	en que el boca a hierro sabe,
	estar el lengua e los labios
	secos como pedernales,
	ser de yesca el paladar,
	saberme todo a venagre. 2055
DON ÁLVARO	Vete de aquí, que no es bien
	que ya otra vez me embaraces
	la dicha, pues por ti anoche
	perdí la ocasión más grande,
	y no quiero que por ti 2060
	aquesta también me falte.
ALCUZCUZ	No tener el culpa, Zara
	sí, porque ella asegorarme
	que era voneno, e beberle
	por morirme. *(Ruido dentro.)*
DON ÁLVARO	Hacia esta parte 2065
	siento gente. Entre estas ramas
	esperemos a que pasen.

156

(Retíranse los dos al paño, y salen con armas todos los SOL-
DADOS *que puedan, y* GARCÉS.)

GARCÉS   Ésta de la mina es
        la boca que al muro sale:
        llegad, llegad con silencio,   2070
        pues no nos ha visto nadie.
        Ya está dada fuego, y ya
        esperamos por instantes
        que reviente el monte, dando
        nubes de pólvora al aire.   2075
        En volándose la mina,
        ninguno un minuto aguarde,
        sino ir a ocupar el puesto
        que ella nos desocupare,
        procurando mantenerle   2080
        hasta llegar lo restante
        de la gente, que emboscada
        en esa espesura yace. *(Vanse.)*
DON ÁLVARO   ¿Oíste algo?
ALCUZCUZ   Nada oír.
DON ÁLVARO   ¿Quién duda que es ronda que ande   2085
        corriendo el monte? Por eso
        puse cuidado en guardarme.
        ¿Fuéronse?
ALCUZCUZ   ¿Ya no lo ves?
DON ÁLVARO   Ya es bien al muro acercarme. *(Disparan dentro.)*
        Mas ¿qué es esto?
ALCUZCUZ   No haber boca   2090
        que más claramente hable
        que la boca de una pieza,
        aunque se ignora el lenguaje.

(Dentro suena todo el ruido que pueda.)

TODOS   ¡Valedme, cielos!
ALCUZCUZ   ¡Valedme,
        Mahoma, así Alá te guarde!   2095

2092 *pieza:* 'pieza de artillería'.

DON ÁLVARO	Parece que se desquicia
	de sus ejes inmortales
	todo el orbe de cristal
	todo el globo de diamante.
DON LOPE	Ya voló la mina; todos *(Dentro.)* 2100
	a la batería que hace. *(Cajas.)*
DON ÁLVARO	¿Qué Etnas, qué Mongibelos,
	qué Vesubios, qué volcanes
	en su vientre concibieron
	los montes, que así los paren? 2105
ALCUZCUZ	¿Qué monjiles, qué besugos,
	qué Elenas ni qué alacranes?
	Qué todo ser humo y fuego.
DON ÁLVARO	¿Quién vio más terrible trance?
	En confusos laberintos 2110
	de armas ya la villa arde,
	y para abortar horrores,
	víbora de alquitrán y áspid
	de pólvora, hecha pedazos,
	todas las entrañas abre. 2115
	Estrago de España es éste.
	Ni soy noble, pues, ni amante,
	si a socorrer a mi dama
	al fuego no me arrojare,
	trepando al muro y rompiendo 2120
	sus almenas de diamante;
	que como yo entre mis brazos
	a Maleca hermosa saque,

2098-2099 *orbe de cristal; globo de diamante:* el universo, compuesto de esferas transparentes. Véase la nota al v. 902.

2107 Adopto la enmienda de Ruiz Lagos, que combina las dos versiones del siglo XVII («Qué lenas, ni qué alacranes» en VT, y «que Elenas o que Alcoranes» en TA).

2109 *trance:* 'algunas vezes sinifica el punto riguroso, la ocasión peligrosa de algún caso o acontecimiento al qual llamamos trance riguroso' *(Cov.)*.

2110 Adopto la enmienda de Hartzenbusch. VT da «y en confusos laberintos».

2113 *víbora de alquitrán:* según Plinio *(Naturalis historia,* X, 62), las víboras mueren en el parto porque sus hijos les rompen las entrañas.

	Galera y el mundo todo
	mas que se queme y se abrase. *(Vase.)* 2125
ALCUZCUZ	Ni ser amante ni noble,
	si en confusión tan notable
	quedar Zara, mas ¿qué emporta
	no ser yo noble ni amante?
	Hartos amantes y nobles 2130
	haber: y como escaparme
	yo, que Zara y la Galera
	mas que se queme y se abrase. *(Vase.)*

(Salen DON JUAN DE MENDOZA, DON LOPE DE FI-
GUEROA, GARCÉS *y* SOLDADOS.*)*

DON LOPE	No quede persona a vida:
	llévese a fuego y a sangre 2135
	la villa.
GARCÉS	A pegarla fuego
	entraré. *(Vase* GARCÉS.*)*
SOLDADO 1.º	Yo a aprovecharme
	del saco.

(Sale[n] MALEC *y* MORISCOS.*)*

MALEC	Yo basto solo, *(Batalla.)*
	puesto por muro delante,
	a defenderla.

2125 y 2133 *mas que se queme y se abrase:* 'por mí, que se queme y se abrase'. Compárense estos versos del gracioso Malandrín en *Amado y aborrecido:* «Si se ahogue y se abrasan, / mas que se abrasen y ahoguen» *(OC* II, pág. 1706a; corrijo la acentuación). Para el uso de la construcción «mas que...» en la época, véase Samuel A. Wofsy, «A note on *Más que*», en *Romanic Review,* XIX, 1 (1928), págs. 41-48; E. H. Templin, «An additional note on *mas que*», en *Hispania,* 12 (1929), págs. 163-170, y J. Brooks, *«Más que, mas que* and *mas ¡que!»,* en *Hispania,* 16 (1933), págs. 23-24. Templin recoge alguna frase similar a la empleada aquí, como esta del entremés *La inocente encantadora:* «Mas que se maten, no se me da un pito» (pág. 167).

MENDOZA	Señor,	2140
	éste es Ladín, el alcaide.	
DON LOPE	Ríndete ya.	
MALEC	¿Qué es rendirme?	
DOÑA CLARA	¡Ladín, señor, dueño, padre! *(Dentro.)*	
MALEC	Maleca es: ¡oh, quién pudiera	
	hoy dividirse en dos partes!	2145
DOÑA CLARA	¡Que me da un cristiano muerte! *[Dentro.]*	

(Retirando a los MORISCOS, *pelean todos.)*

MALEC	Pues a mí estotros me maten	
	sin defenderme, y a un tiempo	
	tu vida y mi vida acaben.	
DON LOPE	Muere, perro, y a Mahoma	2150
	da un recado de mi parte.	

(Después de haberse dado batalla lo más reñida que pueda, salen los CRISTIANOS.)

SOLDADO 1	No se ha hecho presa tal	
	de joyas y de diamantes.	
SOLDADO 2	Rico quedo desta vez.	
GARCÉS	Ninguna vida hoy se guarde	2155
	que a mi acero, por hermosa	
	o por caduca se escape:	
	sólo me falta de hallar	
	aquel morisquillo infame,	
	para volver bien vengado.	2160
DON LOPE	Pues toda Galera arde,	
	manda retirar la gente	
	antes que su incendio llame	
	el socorro.	

2141 y 2143 *Ladín:* conforme el decreto atribuido a Abén Humeya, don Juan de Malec ha arabizado su nombre, lo mismo que Fernando de Válor (Abén Humeya) Isabel (Lidora), Beatriz (Zara) y Clara (Maleca). Hartzenbusch, seguido por Valbuena Briones y Ruiz Lagos, sustituye *Ladín* por *Malec*. En TA, también en las acotaciones de esta escena Malec es llamado Ladín, como si se tratara de un personaje diferente.

2156 *a mi acero:* adopto la enmienda de Hartzenbusch. VT da «de mi acero».

MENDOZA   A retirar.
                Pase la palabra.
SOLDADOS   Pase. *(Vanse.)*   2165

        (Sale DON ÁLVARO.*)*

DON ÁLVARO   Por entre montes de llamas,
                entre piélagos de sangre,
                tropezando en cuerpos muertos,
                quiso mi amor que llegase
                a la casa de Maleca,   2170
                estrago ya miserable,
                pues del acero y del fuego
                pavesa dos veces yace.
                ¡Ay esposa!, presto yo
                moriré, si llego tarde.   2175
                ¿Dónde Maleca estará?
                Que ya no se mira a nadie.
DOÑA CLARA   ¡Ay de mí! *(Dentro.)*
DON ÁLVARO   Esta voz que el viento
                lastimosamente esparce
                de mal pronunciadas quejas,   2180
                de bien repetidos ayes,
                es rayo que me penetra.
                ¿Quién vio desdicha más grande?
                A las luces que confusas,
                ya cebado, el fuego hace,   2185
                miro una mujer que está
                apagándolas con sangre.
                ¡Y es Maleca! ¡Oh santos cielos!
                ¡O dadla vida o matadme!

        (Entra, y saca a MALECA, *suelto el cabello, sangriento el ros-*
        tro, y medio vestida.)

_____

2177 *Que ya no se mira a nadie:* adopto la enmienda de Hartzenbusch. VT da
«Que ya no se mira nadie».

DOÑA CLARA	Soldado español, en quien	2190
	ni piedad ni rigor cabe,	
	piedad, pues que ya me heriste,	
	rigor, pues no me acabaste:	
	vuelve a mi pecho el acero.	
	Mira que es rigor notable	2195
	que tus acciones no sean	
	ni rigores ni piedades.	
DON ÁLVARO	Deidad infeliz, que ya	
	hay infelices deidades,	
	pues de ti lo aprenden cuantas	2200
	de humanas fortunas saben:	
	el que en sus brazos te tiene,	
	no solicita matarte,	
	que antes quisiera su vida	
	dividir en dos mitades.	2205
DOÑA CLARA	Bien dicen esas razones	
	que eres africano alarbe;	
	y si por mujer y triste,	
	dos veces puedo obligarte,	
	una fineza te deba:	2210
	en Gabia está por alcaide	
	el Tuzaní, esposo mío;	
	pártete luego a buscarle,	
	y este estrecho último abrazo	
	le llevarás de mi parte;	2215
	y dirásle que su esposa,	
	bañada en su propia sangre,	
	a manos de un español,	
	de sus joyas y diamantes	
	más que de honor ambicioso,	2220
	hoy muerta en Galera yace.	
DON ÁLVARO	El abrazo que me das,	
	no, no es menester llevarle	
	a tu esposo, que por ser	

2191 *piedad; rigor:* los dos extremos que, según la doctrina vigente en la época, deben equilibrar el ejercicio de la justicia.

	fin de sus felicidades,	2225
	él le sale a recibir;	
	que no hay desdicha que tarde.	
DOÑA CLARA	Sola esta voz, ¡ay bien mío!,	
	pudo nuevo aliento darme,	
	pudo hacer feliz mi muerte.	2230
	Deja, deja que te abrace.	
	Muera en tus brazos y muera.	
DON ÁLVARO	¡Oh cuánto, oh cuánto ignorante	
	es quien dice que el amor	
	hacer de dos vidas sabe	2235
	una vida!, pues si fueran	
	esos milagros verdades,	
	ni tú murieras, ni yo	
	viviera; que en este instante,	
	muriendo yo y tú viviendo,	2240
	estuviéramos iguales.	
	Cielos, que visteis mis penas;	
	montes, que miráis mis males;	
	vientos, que oís mis rigores;	
	llamas, que veis mis pesares;	2245
	¿cómo todos permitís	
	que la mejor luz se apague,	
	que la mejor flor se os muera,	
	que el mejor suspiro os falte?	
	Hombres que sabéis de amor,	2250
	advertidme en este lance,	
	decidme en esta desdicha,	
	¿qué debe hacer un amante	
	que viniendo a ver su dama	
	la noche que ha de lograrse	2255
	un amor de tantos días,	
	bañada la halla en su sangre,	
	azucena guarnecida	
	del más peligroso esmalte,	

2228 *Sola:* 'sólo', 'solamente'.
2259 *del:* todos los textos dan «de»; la enmienda es mía.

oro acrisolado al fuego   2260
del más riguroso examen?
¿Qué debe aquí hacer un triste,
que el tálamo que esperarle
pudo, halla túmulo, donde
la más adorada imagen,   2265
que iba siguiendo deidad,
vino a conseguir cadáver?
Mas no, no me respondáis,
no tenéis que aconsejarme;
que si no obra por dolor   2270
un hombre en sucesos tales,
mal obrará por consejo.
¡Oh montaña inexpugnable
de la Alpujarra, oh teatro
de la hazaña más cobarde,   2275
de la victoria más torpe,
de la gloria más infame!
¡Oh nunca, oh nunca tus montes,
oh nunca, oh nunca tus valles
hubieran visto en su cumbre,   2280
hubieran visto en su margen
la más infeliz belleza!
Mas ¿de qué sirve quejarme,
si las quejas, con ser quejas,
aun no son prendas del aire?   2285

(Salen Don Fernando, Doña Isabel *y* Moriscos.)

D. Fernando   Aunque con lenguas de fuego
Galera en su ayuda llame,
tarde hemos llegado.

2263-2264 *que el tálamo que esperarle / pudo, halla túmulo:* juego con el doble-te *tálamo-túmulo,* muy del gusto de Calderón, que también lo aprovechó en *El galán fantasma* («Las plantas / manchadas que en este albergue / para ser tála-mo nacen, / y siendo túmulo mueren», *OC* I, pág. 642a), *El mayor encanto, amor* («Polifemo [...] el tálamo dulce / de nuestras bodas felices / cubrió de un peñasco, que hoy / túmulo es que nos aflige», *OC* II, pág. 1544a) y la primera parte de *La hija del aire* («rosas y lirios / que él hizo tálamo torpe / torpe túmu-lo ella hizo», *OC* II, pág. 724a).

DOÑA ISABEL   Y tanto,
que ya sus plazas y calles
son abrasadas cenizas,   2290
que en llamas piramidales
se oponen a las estrellas.
DON ÁLVARO   No os admire, no os espante
venir tan tarde vosotros,
si yo también vine tarde.   2295
D. FERNANDO   ¡Oh qué presagio tan triste!
DOÑA ISABEL   ¡Qué asombro tan miserable!
D. FERNANDO   ¿Qué es esto?
DON ÁLVARO   Ésta es la mayor
pena, éste el dolor más grande,
la desdicha más cruel,   2300
la desventura más grave;
que ver morir, y morir
tan triste y tan lamentable-
mente lo que se ama, es
la cifra de los pesares,   2305
el colmo de las desdichas
y el mayor mal de los males.
Maleca (¡ay triste!), mi esposa,
es (¡qué pena tan notable!)
la que (¡qué dolor tan triste!)   2310
pálida (¡qué duro trance!)
y sangrienta (¡qué cruel!)
estáis mirando delante.
Aleve mano en su pecho
hizo herida penetrante   2315
entre el fuego. ¿A quién no admira,
a quién no asombra que apague
fuego a fuego, y que al acero
se dé a partido un diamante?
Todos sois testigos, todos,   2320
del más sacrílego ultraje,
la más fiera acción, el más
triste horror, costoso examen
del amor y la fortuna;
y así, desde aqueste instante,   2325

todos lo habéis de ser, todos,
de la mayor, la más grande
venganza, de la más noble
que en sus Corónicas guarde
la eternidad de los bronces, 2330
la duración de los jaspes;
pues a esta beldad difunta,
flor truncada, rosa fácil,
que al fin maravilla muere
como maravilla nace, 2335
hago juramento, hago
firme amoroso homenaje
de vengar su muerte; y puesto
que Galera, a quien no en balde
dieron este nombre, ya 2340
zozobrando sobre mares
de púrpura que la anegan,
de llamas que la combaten,
se va a pique despeñada
desde esta cumbre a ese valle; 2345
pués ya de los españoles
apenas se escucha el parche,
y pues se va retirando,
yo iré siguiendo el alcance,
hasta que al mismo (entre todos) 2350
homicida suyo halle.
Vengaré, si no su muerte,

2330-2331 *bronces; jaspes:* esculturas y, por metonimia, la fama.

2333 *fácil:* 'delicada', 'ténue', como en otros lugares de Calderón. Así, en *La gran Cenobia:* «a una breve fácil vuelta / se truecan las monarquías / y los imperios se truecan» *(OC* II, pág. 93b); y en *A secreto agravio, secreta venganza,* don Lope se pregunta: «¿Quién puso el honor en vaso / que es tan fácil?» *(OC* II, pág. 246a).

2335 *maravilla:* véase la nota al v. 1578.

2337 *homenaje:* 'vale tanto como juramento solemne, en favor del rey o señor' *(Cov.);* el adjetivo *amoroso* permite extender el significado del sustantivo para abarcar cualquier tipo de juramento solemne.

2344 Adopto la enmienda de Hartzenbusch. VT da «despeñando».

2348 *se va retirando:* es plausible la enmienda de Hartzenbusch («van»), pero el sujeto gramatical puede ser «el parche».

                    a lo menos mi coraje;
                    porque el fuego que lo ve,
                    porque el mundo que lo sabe,   2355
                    porque el viento que lo escucha,
                    la fortuna que lo hace,
                    el cielo que lo permite,
                    hombres, fieras, peces, aves,
                    sol, luna, estrellas y flores,   2360
                    agua, tierra, fuego, aire
                    sepan, conozcan, publiquen,
                    vean, adviertan, alcancen
                    que hay en un alarbe pecho,
                    en un corazón alarbe,   2365
                    amor después de la muerte,
                    porque aun ella no se alabe
                    que dividió su poder
                    los dos más firmes amantes. *(Vase.)*

D. FERNANDO   Detente, espera.
ISABEL   Primero   2370
                    harás que un rayo se pare.
D. FERNANDO   Retirad esa belleza
                    infeliz. No os acobarde
                    ver que esa bárbara Troya,
                    ese rústico homenaje   2375
                    caiga en horror a la tierra,

2364 *alarbe pecho:* Ruiz Lagos defiende con vehemencia la lectura de TA
(«cristiano pecho»), pero su argumentación resulta difícil de aceptar. Si bien el
Tuzaní ha recibido la «ley» cristiana, como afirma en el v. 857, no hay
nada en la obra que indique que es un cristiano sincero como lo es su hermana, y su identidad étnica no deja de ser la de un «alarbe». Además, la coherencia retórica de los vv. 2364-2365 (una sinonimia distribuida en forma de
quiasmo, muy característica del estilo de Calderón) no admite la lectura de TA.
Lo que afirma el Tuzaní es precisamente que no hace falta ser cristiano para poder tener un amor tan noble como el suyo, y que, en ese sentido, él no es inferior al más noble de los cristianos. Véase nuestra Introducción, págs. 37-38.
    2375 *homenaje:* aquí en el sentido de «torre del homenaje» ('la principal de
la fortaleza o fuerça, adonde con solenidad y por auto público el castellano o
alcaide della haze el juramento de fidelidad', *Cov.*).
    2376 *caiga en horror:* Ruiz Lagos defiende la lectura de TA («caiga en torres»),
por tratarse de una torre del homenaje. Sin embargo, el concepto de «torre del

	vuele en cenizas al aire,	
	moriscos de la Alpujarra,	
	si para venganzas tales	
	vuestro rey Abenhumeya	2380
	no ciñe este acero en balde. *(Vase.)*	

ISABEL (¡Pluguiera al cielo sus montes, *[Aparte.]*
que son soberbios atlantes
del fuego que los consume,
del viento que los combate, 2385
ya titubear se viesen,
ya caducar se mirasen,
porque dieran fin en ellos
tantas infelicidades!) *(Vanse.)*

(Salen DON JUAN DE AUSTRIA, DON LOPE, DON JUAN
DE MENDOZA *y* SOLDADOS.*)*

DON JUAN   Ya que rendida Galera 2390
en rüinas se eterniza,
y de su propria ceniza
es del Fénix ya la hoguera,
ya que de la ardiente esfera,
entre el escándalo sumo, 2395
un fragmento la presumo
adonde voraz y ciego
es el minotauro el fuego
y es el laberinto el humo,

---

homenaje» es empleado aquí en sentido figurado: Galera es una villa rural,
convertida por las circunstancias en fuerte militar, por lo que es tildada de «*rústico* homenaje». Compárese, en el v. 2374, la expresión «*bárbara* Troya».

2393 *Fénix:* véase la nota al v. 806.

2394-2396 *de la ardiente esfera ... un fragmento lo presumo:* nueva referencia a
las regiones de los cuatro elementos, esta vez a la «esfera del fuego». Véase
las notas a los vv. 884-885 y 902.

2398-2399 *es el minotauro el fuego / y es el laberinto el humo:* alusión al laberinto de Creta, por el que según la mitología erraba el minotauro, monstruo mitad hombre mitad toro, que se alimentaba de muchachos y muchachas ate-
nienses; de modo análogo, el fuego deambula por el humo, devorando lo que
encuentra a su paso.

	no tenemos que esperar,	2400
	sino antes que la aurora	
	cuaje las perlas que llora	
	sobre la espuma del mar,	
	empiece el campo a marchar	
	a Berja; que mi atrevido	2405
	corazón, nunca vencido,	
	descanso no ha de tener	
	hasta a Abenhumeya ver	
	a mis pies muerto o vencido.	
DON LOPE	Si quieres, señor, que hagamos	2410
	de Berja lo que hemos hecho	
	de Galera, satisfecho	
	estás de tus armas: vamos;	
	pero si el orden miramos	
	del rey, no fue su intención	2415
	destruir gentes que son	
	sus vasallos, sino dar	
	escarmientos, y templar	
	el castigo y el perdón.	
MENDOZA	Yo lo que don Lope digo:	2420
	piadoso y crüel te crean	
	y la cara al perdón vean,	
	pues vieron la del castigo.	
	Sea su perdón testigo	
	de tus piedades, señor:	2425
	témplese ya tu rigor,	
	pues más se suele mostrar	
	el valor en perdonar,	
	porque el matar no es valor.	
DON JUAN	Mi hermano (es verdad) me envía	2430
	a que esto apacigüe yo;	
	mas rogar sin armas no	
	sabe la cólera mía.	
	Pero ya que de mí fía	
	castigo y perdón, me obligo	2435

2404 *el campo:* 'las tropas'.

a que el mundo sea testigo
que uso en cualquiera ocasión
con las armas del perdón,
con los ruegos del castigo.
　　　Don Juan.

MENDOZA　　　　　　Señor.

DON JUAN　　　　　　　　　Vos iréis　　　　2440
a Berja, donde está hoy
Válor, y que a Berja voy
de mi parte le diréis.
Público el perdón le haréis
y el castigo, y con igual　　　　　2445
providencia al bien y al mal,
le diréis que si rendido
se quiere dar a partido,
daré perdón general
　　a todos los rebelados,　　　　2450
con que vuelvan a vivir
con nosotros y asistir
con sus oficios y estados;
que de los daños pasados
hoy mi justicia severa　　　　　2455
más satisfacción no espera;
que se rinda al fin, porqué
si no, a Berja soplaré
las cenizas de Galera.

MENDOZA　　A servirte voy. *(Vase.)*

DON LOPE　　　　　　　No ha habido　　　2460
saco jamás que haya dado
más provecho: no hay soldado
que rico no haya venido.

DON JUAN　　¿Tanto tesoro escondido
dentro de Galera había?　　　　　2465

DON LOPE　　Dígatelo la alegría
de tus soldados.

DON JUAN　　　　　　　Yo quiero,
porque presentar espero
a mi hermana y reina mía
　　desta guerra los trofeos,　　　2470

	a los soldados feriar	
	cuanto fuere de envïar.	
DON LOPE	Con esos mismos deseos	
	hice yo algunos empleos,	
	y esta sarta que he comprado	2475
	a un hombre que la ha ganado,	
	te ofrezco por la mejor	
	joya para dar, señor.	
DON JUAN	Buena es; y no es excusado	
	tomarla, por no excusar	2480
	lo que me habéis de pedir;	
	enséñeos yo a recibir,	
	pues vos me enseñáis a dar.	
DON LOPE	El precio es más singular:	
	que os sirváis della y de mí.	2485

(Salen de soldados DON ÁLVARO *y* ALCUZCUZ.)

DON ÁLVARO	Hoy, Alcuzcuz, sólo a ti	
	quiero en la empresa que sigo	
	por compañero y amigo.	
ALCUZCUZ	Muy bien te fiar de mí,	
	aunque tu esfuerzo, no sé	2490
	qué ser lo que acá procura...	
	mas quedo; que éste es Su Altura.	
DON ÁLVARO	¿Aqueste es don Juan?	
ALCUZCUZ	Sí a fe.	
DON ÁLVARO	Con atención le veré,	
	por su fama y su opinión.	2495
DON JUAN	¡Qué iguales las perlas son!	
DON ÁLVARO	Y ya, aunque yo no quisiera	
	con atención verle, fuera	
	precisa en mí la atención.	

2472 *fuere:* futuro de subjuntivo.

2474 *empleos:* como explica Covarrubias, *emplear* es 'gastar el dinero en alguna compra, la qual se llama empleo'.

2482 *enséñeos:* adopto la enmienda de Hartzenbusch, necesaria para dar sentido al verso. VT da «enseñaos».

171

	Aquella sarta (¡ay de mí!)	2500
	que en su mano (¡ay alma!) ves,
	bien la he conocido, y es
	la que yo a Maleca di.
DON JUAN	Vamos, don Lope, de aquí.
	¡Qué admirado este soldado	2505
	de mirarme se ha quedado!
DON LOPE	Pues ¿quién, señor, no se admira
	cada vez que el rostro os mira? *(Vanse.)*
DON ÁLVARO	Suspenso y mudo he quedado.
ALCUZCUZ	Ya, señor, que solo estás,	2510
	¿por qué has bajado, decir,
	de la Alpujarra y venir
	aquí?
DON ÁLVARO	Presto lo sabrás.
ALCUZCUZ	Mé no querer saber más
	de que hasta aquí haber venido,	2515
	para ser arrepentido
	de seguirte.
DON ÁLVARO	Pues ¿por qué?
ALCUZCUZ	Escuchar, e lo diré.
	Mé, sonior, cativo he sido
	de un cristianilio soldado,	2520
	que si en el campo me ver,
	matar.
DON ÁLVARO	¿Cómo puede ser,
	si vienes tan disfrazado,
	conocerte? Y pues mudado
	el traje los dos traemos,	2525
	pasar entre ellos podemos,
	sin sospecha averiguada,
	por cristianos, pues en nada
	ya moriscos parecemos.
ALCUZCUZ	Tú, que bien el lengua hablar,	2530
	tú, que cativo no ser,
	tú, que español parecer,
	seguro poder pasar;
	mé, que no sé pronunciar,
	mé, que preso haber estado,	2535

	mé, que este traje no he usado,	
	¿cómo escosar el castigo?	
DON ÁLVARO	Hablando sólo conmigo,	
	pues en fin, en un criado	
	ninguno reparará.	2540
ALCUZCUZ	¿E si alguien quiere saber	
	de mí algo?	
DON ÁLVARO	No responder.	
ALCUZCUZ	¿Quién no responder podrá?	
DON ÁLVARO	Quien mire cuánto le va.	
ALCUZCUZ	Mahoma solamente pudo	2545
	hacerme por fuerza mudo,	
	siendo tan grande hablador.	
DON ÁLVARO	Necios extremos de amor,	
	no dudo (¡ay de mí!), no dudo	
	que acuséis mi atrevimiento,	2550
	pues idólatra gentil	
	de un sol puesto, en treinta mil	
	un soldado hallar intento	
	a quien sigo por el viento,	
	pues ni señas ni razón	2555
	traigo dél; más confusión	
	por admiración me das:	
	¿qué importa un prodigio más,	
	adonde tantos lo son?	
	Bien sé, bien, que no es posible	2560
	hallar mi venganza, no;	
	mas ¿qué hiciera yo, si yo	
	no intentara lo imposible?	
	Pero aunque bien infalible	
	vi la primer seña, en vano	2565
	la creo, porque está llano	
	que es quien es, y es cosa clara	

2565-2566 *en vano / la creo:* 'creo que es erróneo'.

2567 *es quien es:* 'es noble y se comportará como tal', fórmula recurrente en el teatro barroco, generalmente en primera persona («Soy quien soy»). Don Álvaro se refiere, por supuesto, a don Juan de Austria.

que un noble no ensangrentara
en una mujer la mano,
   porque valor no asegura,   2570
porque no arguye nobleza,
quien no admira una belleza,
quien no adora una hermosura
que en sí misma esté segura:
luego no es suyo el rigor,   2575
mienten sus señas, amor,
tus indicios han mentido;
que otro ha sido, que otro ha sido
el vil, el fiero, el traidor.

ALCUZCUZ   ¿Ser eso a que haber venido?   2580
DON ÁLVARO Sí.
ALCUZCUZ   Pues presto nos volver,
porque ¿cómo puede ser,
sin haberle conocido
[ni su nombre haber sabido],
hallarle?
DON ÁLVARO   Cuando el efeto   2585
no alcance, me lo prometo.
ALCUZCUZ   Ésas el cartas serán
de «En la Corte a mi hijo Juan,
que andar vestido de prieto».
DON ÁLVARO   A ti no te toca más...   2590
ALCUZCUZ   Ya saber: que hablar por señas
en alguien viniendo.
DON ÁLVARO   Sí.
ALCUZCUZ   Ponga Alá tiento en mi lengua.

(Salen SOLDADOS.*)*

SOLDADO 1   La ganancia está partida
bien así, pues el que juega,   2595

2584 *ni su nombre haber sabido:* falta en todos los textos un verso para completar la décima. La enmienda es mía.
2588-2589 *de «En la Corte a mi hijo Juan / que andar vestido de prieto»:* es decir que las señas son demasiado vagas y generales para que se pueda identificar al destinatario.

	aunque vaya por dos, siempre	
	algo de ribete lleva.	
SOLDADO 2	¿Por qué no ha de ser igual	
	la ganancia, si lo fuera	
	la pérdida?	
[SOLDADO] 1	Eso sí que es justo.	2600
[SOLDADO] 2	Mirad; yo nunca quisiera	
	tener con mis camaradas	
	por intereses pendencias:	
	haya solamente un hombre	
	que diga que es razón ésa,	2605
	y yo no hablaré palabra.	
[SOLDADO] 1	¡Mas que lo dice cualquiera!	
	¡Ah, soldado!	
ALCUZCUZ	(¡A mé decir, *[Aparte.]*	
	e no responder! ¡Paciencia!)	
[SOLDADO] 1	¿No respondéis?	
ALCUZCUZ	Ha, ha, ha.	2610
[SOLDADO] 2	Mudo es.	
ALCUZCUZ	(¡Si bien lo supieran!) *[Aparte.]*	
DON ÁLVARO	(Éste ha de echarme a perder, *[Aparte.]*	
	si yo no salgo a la enmienda.)	
	Divertirlo importa. Hidalgos,	
	perdonad, por vida vuestra,	2615
	si no entiende ese criado	
	lo que le mandáis, pues muestra	
	bien que es mudo.	
ALCUZCUZ	(No ser mudo; *[Aparte.]*	
	mas ser en casión como esta	
	pique, repique y capote,	2620
	pues que no tiene respuesta.)	

2600-2658 Según el texto original, tanto en VT como en TA, sólo intervienen dos soldados en esta escena. Hartzenbusch, seguido por Valbuena Briones y Ruiz Lagos, introduce un tercero. No veo la necesidad de tal modificación.

2620 *pique, repique y capote:* términos pertenecientes al ámbito de los juegos de naipes. Se trata de los tres «azares» o premios que se pueden conseguir en el juego de los *cientos* o *piquet*. El *pique, repique y capote* es un lance que no admite «respuesta» en el sentido de no dejar al adversario posibilidades de ganar.

[SOLDADO] 1	Lo que decirle quería,
	ha sido suerte que pueda
	mejorarse en vos, que es duda.
DON ÁLVARO	Yo holgara satisfacerla. 2625
[SOLDADO] 1	Yo he ganado por los dos
	entre el dinero una prenda,
	que es este Cupido...
DON ÁLVARO	(¡Ay triste!) *[Aparte.]*
SOLDADO [1]	...de diamantes.
DON ÁLVARO	(¡Ay Maleca! *[Aparte.]* 2630
	¡Las joyas son de tus bodas
	despojos de tus exequias!
	¿Cómo he de vengarla, cómo,
	si van tomando las señas
	los extremos, pues alcanza
	desde un soldado a una alteza?) 2635
SOLDADO [1]	Al partir, pues, la ganancia,
	le doy el Cupido en cuenta
	en lo que yo le gané;
	dice que él no quiere prendas;
	mirad si habiendo ganado 2640
	yo, no es justo que prefiera
	en la partición.
DON ÁLVARO	Yo quiero
	componer la diferencia,
	ya que he llegado a ocasión,
	dando el dinero por ella 2645
	en que estuviere jugada;
	pero con una advertencia,
	que he de saber yo primero
	quién la trajo, porque sea
	segura.
[SOLDADO] 2	Seguras son 2650
	todas cuantas hoy se juegan,
	porque todo se ha ganado
	en el saco de Galera
	a esos perros.

2650 *segura:* adopto la enmienda de Hartzenbusch. VT da «seguro».

DON ÁLVARO	(¡Que yo, cielos, *[Aparte.]*
	tal escuche y tal consienta!) 2655
ALCUZCUZ	(¡Qué mé, ya que no matar, *[Aparte.]*
	no poderle hablar siquiera!)
SOLDADO	Yo os pondré con quien la trajo;
	que él me contó aquí, por señas,
	que entre sus joyas quitado 2660
	la había a una morisca bella,
	a quien dio muerte.
DON ÁLVARO	(¡Ay de mí!) *[Aparte.]*
SOLDADO	Venid, de su boca mesma
	lo oiréis.
DON ÁLVARO	(No oiré; que primero, *[Aparte.]*
	como una vez quién es sepa, 2665
	le mataré a puñaladas.)
	Vamos.
[SOLDADOS]	Deténganse. *(Dentro.)*
OTROS	Afuera. *(Dentro.)*

(Riñen dentro.)

SOLDADO	Tengo de darle la muerte, *(Dentro.)*
	aunque el mundo lo defienda.
[OTRO] SOLD.	Con nuestro enemigo es. 2670
OTRO	Pues, amigo, muera, muera.
GARCÉS	Si basto solo, ¿qué importa *(Dentro.)*
	que todos contra mí sean? *(Salen.)*
DON ÁLVARO	Tantos a uno, soldados,
	es infamia y es bajeza. 2675
	Deténganse, o haré yo,
	vive Dios, que se detengan.
ALCUZCUZ	(¡A bonas cosas venir, *[Aparte.]*
	a no hablar, e a ver pendencias!)
[UN] SOLD.	Muerto soy.

(Sale DON LOPE.)

2658 *la:* adopto la enmienda de Hartzenbusch. VT da «lo».
2672 *Si basto solo:* adopto la lectura de TA. VT da «Si estoy solo».

DON LOPE	¿Qué es esto?
UN SOLDADO	Muerto 2680
	está: huyamos, no nos prendan. *(Vase.)*
GARCÉS	La vida os debo, soldado:
	yo, yo os pagaré la deuda. *(Vase.)*
DON LOPE	Deteneos.
DON ÁLVARO	Ya lo estoy.
DON LOPE	De los dos las armas vengan: 2685
	quitadle la espada.
DON ÁLVARO	(¡Ay cielo!) *[Aparte.]*
	Mire usiría y advierta
	que a poner la paz la saqué,
	sin ser mía la pendencia.
DON LOPE	Yo sólo sé que en el cuerpo 2690
	de guardia os hallo con ella
	desnuda y un hombre muerto.
DON ÁLVARO	Imposible es mi defensa.
	(¿A quién habrá sucedido *[Aparte.]*
	que a matar a un hombre venga, 2695
	y por darle vida a otro,
	en tal peligro se vea?)
DON LOPE	Y vos, ¿no dais esa espada?
	Bueno, ¿hablador sois de señas?
	Pues yo os he visto otra vez 2700
	hablar, si bien se me acuerda.
	En ese cuerpo de guardia
	presos aquestos dos tengan,
	mientras sigo a los demás.
ALCUZCUZ	(Dos cosas me daban pena, *[Aparte.]* 2705
	pendencia, e caliar; ya ser
	tres, si bien hacer el cuenta:
	una, dos, tres, sí, tres ser,
	prisión, caliar e pendencia.) *(Vanse.)*

(Sale DON JUAN DE AUSTRIA.*)*

DON JUAN	¿Qué ha sido aquesto, don Lope? 2710
DON LOPE	Fue, señor, una pendencia
	en que un hombre muerto ha habido.

DON JUAN	Pues si cosas como ésas
	no se castigan, habrá
	cada día mil tragedias;	2715
	mas usarse ha con templanza
	de la justicia.

(Sale DON JUAN DE MENDOZA.)

MENDOZA	Tu alteza
	me dé sus pies.
DON JUAN	¿Qué hay, Mendoza?
	¿Qué responde Abenhumeya?
MENDOZA	Sorda trompeta de paz	2720
	toqué a la vista de Berja,
	y muda bandera blanca
	me respondió a la trompeta.
	Entré con seguro dentro,
	llegué al dosel, o a la esfera,	2725
	de Abenhumeya. ¡Bien dije,
	si estaba con él la bella
	doña Isabel Tuzaní,
	que hoy es Lidora y su reina!
	A la usanza de su ley	2730
	en una almohada me sienta,
	gozando de embajador
	en todo la preeminencia
	(¡ay, amor, qué neciamente *[Aparte.]*
	dormidos gustos despiertas!)	2735
	y él de rey la autoridad.
	Di tu embajada, y apenas
	se divulgó que hoy a todos
	dabas perdón, cuando empiezan
	por las plazas y las calles	2740
	a hacer alegrías y fiestas.
	Pero Abenhumeya, hijo
	del valor y la soberbia,

2725 *esfera:* véase la nota al v. 902. Mendoza habla de una «esfera» celestial porque «reluce» en ella doña Isabel cual estrella o planeta.

encendido en saña, viendo
cuánto alborota y altera   2745
a sus gentes el perdón,
esto me dio por respuesta:
—Yo soy rey de la Alpujarra;
y aunque es provincia pequeña
a mi valor, presto España   2750
se verá a mis plantas puesta.
Si no quieres ver su muerte,
dile a don Juan que se vuelva,
y si algún baharí morisco
gozar dese indulto piensa,   2755
llevátele tú contigo
a que sirva en esa guerra
a Felipe, porque así
haya ése más a quien venza.
Con esto me despidió,   2760
dejando ya en arma puesta
la Alpujarra, porque toda,
ya civiles bandos hecha,
unos «España» apellidan,
otros «África» vocean,   2765
de suerte que su mayor
ruina, que su mayor guerra
hoy, parciales y divisos,
tienen dentro de sus puertas.

DON JUAN   Nunca tiene más aumento,   2770
            más duración ni más fuerza
            un rey tirano, porqué

2752 *quieres:* adopto la enmienda de Hartzenbusch. VT da «quereis».

2754 *baharí:* no parece tener sentido aquí la acepción habitual de esta palabra, 'especie de halcón, del ár. *bahrî* «marino», «ultramarino», «septentrional»' *(Cov.)*. Aunque no lo registran los diccionarios, parece tener también el sentido de 'moro villano', al menos en Calderón, que la emplea dos veces con este sentido en su comedia *El gran príncipe de Fez.* Así, el gracioso de la comedia, llamado Alcuzcuz como en ésta, se ve caracterizado como: «rústico y grosero / (morillo, al fin, baharí en traje / y lengua)» *(OC* II, pág. 1369b).

2764 *apellidar:* 'es aclamar tomando la voz del rey, como: Aqui del rey o Viva el rey; y entre parcialidades, declarándose a vozes por una dellas' *(Cov.).*

los primeros que le alientan
al principio son al fin
los primeros que le dejan,   2775
quizá bañado en su sangre.
Y pues hoy de esa manera
la Alpujarra está, antes que ellos
víboras humanas sean
que se den muerte a sí mismos,   2780
marche el campo todo a Berja,
y venzámoslos nosotros
primero que ellos se venzan:
no hagamos suya la hazaña,
si hacerla podemos nuestra. *[Vanse.]*   2785

(Sale[n] con las manos atadas ALCUZCUZ *y* DON ÁLVARO.)

ALCUZCUZ	El rato que estar aquí
	solos los dos e poder
	hablar, quijera saber,
	sonior Tozaní, de ti,
	a qué Alpojarra dejar 2790
	e a aquesta terra venir,
	si fue a matar, o a morir.
DON ÁLVARO	A morir, y no a matar.
ALCUZCUZ	Quien poner paz en pendencia,
	el peor parte ha lievado. 2795
DON ÁLVARO	Como yo no era culpado,
	no me puse en resistencia;
	que este corazón gentil
	puesto en defensa, mil presto
	me dejaran.

2779 *víboras humanas:* véase la nota al v. 2113. La noción de «víbora humana» (o «humana víbora») figura también en otros textos de Calderón, como *La
vida es sueño* (*OC* II, pág. 507b), *En esta vida todo es verdad y toda mentira* (*OC* II,
pág. 1148a) o *Fieras afemina amor* (*OC* II, pág. 2043b).
2799-2780 *puesto en defensa, mil presto / me dejaran:* adopto la enmienda de
Hartzenbusch, que parece necesaria para dar sentido a la frase. VT da «mil,
puesto en defensa, presto / me dejaran».

ALCUZCUZ	Con todo esto,	2800
	yo me atener a los mil.	
DON ÁLVARO	En fin, ¿yo dejé de ver	
	al que infame se alabó	
	de que las joyas quitó,	
	dando muerte a una mujer?	2805
ALCUZCUZ	No ser eso lo peor,	
	sino estar mandados ya	
	confesar. Mas ¿qué será	
	ver venir al confesor,	
	creyendo crestianos ser?	2810
DON ÁLVARO	Ya que todo lo he perdido,	
	me he de vender bien vendido.	
ALCUZCUZ	Pues ¿qué pensar ahora hacer?	
DON ÁLVARO	Con un puñal que escondido	
	en la cinta me quedó,	2815
	que siempre debajo yo	
	de la casaca he traído,	
	dar a esa posta la muerte.	
ALCUZCUZ	¿Con qué manos?	
DON ÁLVARO	¿No podrás	
	con los dientes por detrás	2820
	romper ese lazo fuerte?	
ALCUZCUZ	¿Por detrás? ¿Y dientes? No	
	estar muy limpia la traza.	
DON ÁLVARO	Llega, rompe o desenlaza	
	el cordel.	
ALCUZCUZ	Sí haré.	
DON ÁLVARO	Que yo	2825
	veré si te ven.	
ALCUZCUZ	Ya estar: *(Desátale* ALCUZCUZ.)	
	romper tú el mío.	
DON ÁLVARO	No puedo;	
	que entra gente.	

2814-2817 *Con un puñal ... he traído:* adopto la enmienda de Hartzenbusch, recolocando esta redondilla en el lugar del texto donde figura aquí. En VT y TA figura después de nuestro v. 2821.

| ALCUZCUZ | Así me quedo |
| | con cordel, y sin hablar. |

(Salen un SOLDADO, *que hace la posta, y* GARCÉS *con prisiones.)*

SOLDADO	Aquel vuestro camarada	2830
	y un criado suyo mudo,	
	que animoso sacar pudo	
	a vuestro lado la espada,	
	son los que veis.	
GARCÉS	Aunque es fuerza	
	sentir que me hayan prendido	2835
	tantos como me han seguido,	
	en una parte me esfuerza	
	a no sentirlo el librar	
	a quien la vida me dio,	
	pues en su descargo yo	2840
	me tengo de declarar.	
	Vos a don Juan mi señor	
	de Mendoza le decí	
	cómo preso quedo aquí,	
	que merced me haga y favor	2845
	de verme, para que pida	
	mi vida al señor don Juan,	
	pues mis servicios serán	
	los méritos de mi vida.	
SOLDADO 1	Yo le diré que aquí os vea,	2850
	en acabando de hacer	
	la posta.	
DON ÁLVARO	Tú puedes ver,	
	como al descuido, quién sea	
	el que con la posta ha entrado	
	en la prisión.	
ALCUZCUZ	Sí veré.	2855
	¡Ay de mí! *(Repara en* GARCÉS.*)*	
DON ÁLVARO	¿Qué tienes?	
ALCUZCUZ	¿Qué?	
	El haber aquí llegado...	

DON ÁLVARO	Prosigue.
ALCUZCUZ	...iestar de horror lleno...
DON ÁLVARO	Habla.
ALCUZCUZ	...de temor no vivo!...
DON ÁLVARO	Di.

ALCUZCUZ
    ...ser de quien fui cativo,   2860
ser a quien corrí el voneno.
    Sin duda saber que aquí
estar. Mas por sí o por no,
el cara guardaré yo,
para que no me vea: así. *(Échase como*
    [que quiere dormir.) 2865

GARCÉS
    Puesto que sin conoceros
ni haberos servido en nada,
me dio vida vuestra espada,
bien creeréis que siento el veros
    de esa suerte. Si pudiera   2870
tener mi prisión consuelo,
el libraros, vive el cielo,
sólo mi consuelo fuera.

DON ÁLVARO
    Guárdeos Dios.

ALCUZCUZ
               Preso venir
y el de la pendencia ser,   2875
sí; que entonces no le ver
con la prisa del reñir.

GARCÉS
    En fin, hidalgo, no os dé
cuidado vuestra prisión;
que yo, por la obligación   2880
en que entonces os quedé,
    la vida pondré, primero
que vos, siendo mía, paguéis
la culpa que no tenéis.

2859 *de temor no vivo:* otro eco de Góngora: «muerta de amor, y de temor
no viva» *(Polifemo,* estr. 44).

2861 *corrí:* 'quité', 'robé'.

2874-2875 *Preso venir / y el de la pendencia ser:* Hartzenbusch da estos versos
como una interrogación, lo cual resulta plausible pero no necesario. No tiene
base en los textos del siglo XVII.

2883 *siendo mía:* 'siendo mía la culpa'.

DON ÁLVARO	De vuestro valor lo espero;	2885
	si bien mi prisión no ha sido	
	lo que más siento, por Dios,	
	sino que perdí por vos	
	la ocasión que me ha traído	
	a esta tierra.	
SOLDADO	No tenéis	2890
	que temer los dos morir,	
	pues siempre he oído decir,	
	y aun vosotros lo sabéis,	
	que si de una muerte son	
	dos los cómplices, no habiendo	2895
	más de una herida, y no siendo	
	caso pensado o traición,	
	uno muera solamente,	
	y que éste que muere sea	
	el de la cara más fea.	2900
ALCUZCUZ	(El que tal decir revente.) *[Aparte.]*	
SOLDADO	Y así, el tal mudo este día,	
	de todos tres, morirá.	
ALCUZCUZ	(Claro estar, porque no habrá *[Aparte.]*	
	cara peor que la mía	2905
	en el mundo.)	
GARCÉS	De vos creo	
	que aquesta merced me haréis,	
	ya que obligado me habéis.	
ALCUZCUZ	(¿Ley ser morir el más feo?) *[Aparte.]*	
GARCÉS	Sepa a quién debo el vivir.	2910
DON ÁLVARO	Yo no soy más que un soldado,	
	que aventurero he llegado...	
ALCUZCUZ	(¿Ley el más feo morir?) *[Aparte.]*	
DON ÁLVARO	...solamente con deseo	
	de hallar a un hombre. Ésta ha sido	2915
	la ocasión que me ha traído.	
ALCUZCUZ	(¿Ley ser morir el más feo?) *[Aparte.]*	
GARCÉS	Quizá yo os podré decir	
	dél. ¿Cómo se llama?	
DON ÁLVARO	No	
	lo sé.	

GARCÉS	¿En qué tercio llegó	2920

GARCÉS ¿En qué tercio llegó   2920
        a esta ocasión a servir?
DON ÁLVARO   No lo sé.
GARCÉS   ¿Qué señas tiene?
DON ÁLVARO   No sé.
GARCÉS   Pues bien le hallaréis,
        si su nombre no sabéis,
        ni señas, ni con quién viene.   2925
DON ÁLVARO   Pues sin saberle las señas,
        nombre, ni con quién está,
        le he tenido hallado ya.
GARCÉS   No son enigmas pequeñas
        las vuestras; pero no os dé   2930
        cuidado, pues en sabiendo
        su alteza este caso, entiendo
        que me dé vida, porqué
        me tiene a mí obligación
        tan grande, que si no fuera   2935
        por mí, no entrara en Galera;
        y esa perdida ocasión
        hallar podremos los dos;
        que de quien sois obligado,
        he de estar a vuestro lado   2940
        al bien y al mal, vive Dios.
DON ÁLVARO   En efecto, ¿que vos fuisteis
        el que entrasteis en Galera?
GARCÉS   ¡Pluguiera a Dios no lo fuera!
DON ÁLVARO   ¿Por qué, si esa hazaña hicisteis?   2945
GARCÉS   Porque desde que yo en ella
        el primero puse el pie,
        no sé qué influjo, no sé
        qué hado, qué rigor, qué estrella
        me persigue, que no ha habido   2950
        cosa que a la suerte mía,
        desde aquel infausto día
        mal no me haya sucedido.
DON ÁLVARO   ¿De qué os nace ese recelo?
GARCÉS   No sé, si no es de que allí   2955
        muerte a una morisca di,

	y se ofendió todo el cielo,	
	porque su hermosura era	
	su traslado.	
DON ÁLVARO	¿Tan hermosa	
	era?	
GARCÉS	Sí.	
DON ÁLVARO	(¡Ay perdida esposa!) *(Aparte.)*	2960
	¿Cómo fue?	
GARCÉS	Desta manera.	

                Estando de posta un día,
                entre unas espesas ramas,
                que a los lutos de la noche
                iban pisando las faldas,   2965
                prendí a un morisco. No quiero
                (que éstas son cosas muy largas)
                deciros que me engañó,
                llevándome entre unas altas
                peñas, adonde sus voces   2970
                convocaron la Alpujarra;
                que huyendo dél, me escondí
                en una gruta; pues basta
                decir que ésta fue la mina,
                que en una peña cavada,   2975
                monstruo fue que concibió
                tanto fuego en sus entrañas.
                Yo fui quien noticia della
                traje al señor don Juan de Austria,
                y yo fui quien al ingenio   2980
                la noche estuve de guardia,
                yo quien de la batería
                mantuve siempre la entrada
                a la otra gente, y yo en fin
                quien por medio de las llamas   2985
                penetré la villa, siendo
                su racional salamandra,

2987 *racional salamandra:* se atribuía a las salamandras la capacidad de vivir en el fuego. Partiendo de la definición aristotélica del hombre como «animal racional», Garcés puede decir que entró en el fuego como «racional salamandra».

	hasta que llegué, pasando	
	globos de fuego, a una casa	
	fuerte, que sin duda era	2990
	de la gente plaza de armas,	
	pues allí se avanzó toda...	
	pero parece que os cansa	
	mi relación, y que no	
	tenéis gusto en escucharla.	2995
DON ÁLVARO	No es sino que divertido	
	acá en mis penas estaba.	
	Proseguid.	
GARCÉS	Llegué, en efecto,	
	lleno de cólera y rabia,	
	a la casa de Malec,	3000
	que era en fin toda mi ansia	
	el palacio o casa fuerte,	
	al tiempo que ya su alcázar	
	don Lope de Figueroa,	
	lustre y honor de su patria,	3005
	rendido tenía y sitiado	
	del fuego por partes varias,	
	y muerto al alcaide. Yo,	
	que entre el aplauso buscaba	
	el provecho, aunque mal juntos	3010
	provecho y honor se hallan,	
	ambiciosamente osado	
	discurrí todas las salas,	
	penetré todas las piezas,	
	hasta que llegué a una cuadra	3015
	pequeña, último retrete	
	de la más bella africana	
	que vieron jamás mis ojos:	
	¡ah!, ¡quién supiera pintarla!	

Calderón emplea una expresión similar («racionales salamandras») en la jornada segunda de *Amado y aborrecido (OC* II, pág. 1706b).

2996 *divertido:* 'distraído'.

3002 *el:* adopto la enmienda de Hartzenbusch. VT da «al».

3016 *retrete:* 'el aposento pequeño y recogido en la parte más secreta de la casa y más apartada' *(Cov.).*

	Mas no es tiempo de pinturas.	3020
	Confusa, al fin, y turbada	
	de verme, como si fueran	
	las cortinas de una cama	
	de una muralla cortinas,	
	detrás se esconde y ampara...	3025
	pero con llanto en los ojos	
	y sin color en la cara	
	os habéis quedado.	

DON ÁLVARO   Son
memorias de mis desgracias,
muy parecidas a ésas.   3030
GARCÉS   Tened, tened confianza,
si es por la ocasión perdida:
quien no la busca, la halla.
DON ÁLVARO   Decís verdad. Proseguid.
GARCÉS   Entré tras ella, y estaba   3035
tan alhajada de joyas,
tan guarnecida de galas,
que más parecía que amante
prevenía y esperaba
bodas que exequias. Yo viendo   3040
tal belleza, quise darla
la vida, como al rescate
saliese fiadora el alma.
Apenas, pues, me atreví
a asirla una mano blanca,   3045
cuando me dijo: —Cristiano,
si es más ambición que fama
mi muerte, pues con la sangre
de una mujer más se mancha
que se acicala el acero,   3050
estas joyas satisfagan
tu hidrópica sed, y deja
limpio el lecho, la fe intacta

3052 *hidrópica sed:* es decir, una sed tan insaciable como la que padecen los hidrópicos. El uso metafórico del término es frecuente en Calderón.

de un pecho, donde se encierran
misterios que aún él no alcanza.   3055
Llegué a los brazos...

DON ÁLVARO   Espera,
escucha, detente, aguarda,
no llegues a ellos. ¿Qué digo?
Mis discursos me arrebatan
la voz. Proseguid; que a mí   3060
eso no me importa nada.
(¡Pluguiera a amor, pues más siento *[Aparte.]*
ya el quererla que el matarla!)

GARCÉS   Dio voces en la defensa
de su vida y de su fama.   3065
Yo, viendo que ya acudía
otra gente, y que ya estaba
perdida la una vitoria,
no quise perderlas ambas,
ni que los otros soldados   3070
conmigo a la parte entraran;
y así, trocando el amor
entonces en la venganza
(que fácilmente el afecto
de un extremo al otro pasa),   3075
arrebatado no sé
de qué furia, de qué saña
que me movió el brazo entonces
(aun repetido es infamia),
o por quitarla una joya   3080
de diamantes y una sarta
de perlas, dejando todo
un cielo de nieve y grana,
la atravesé el pecho.

DON ÁLVARO   ¿Fue
como ésta la puñalada?   3085

(Saca un puñal y hiérele.)

GARCÉS   ¡Ay de mí!
ALCUZCUZ   Aquesto estar hecho.

190

DON ÁLVARO	Muere, traidor.
GARCÉS	¿Tú me matas?
DON ÁLVARO	Sí, porque esa beldad muerta,

esa rosa deshojada,
el alma fue de mi vida,   3090
y hoy es vida de mi alma.
Tú eres el que busco, tú
tras quien me trae mi esperanza
a vengar a su hermosura.

GARCÉS   ¡Ah, que me coges sin armas   3095
y con traición!

DON ÁLVARO   Nunca consta
de términos la venganza.
Don Álvaro Tuzaní,
su esposo, es el que te mata.

ALCUZCUZ   Y yo ser, perro crestiano,   3100
Alcuzcuz, que en la pasada
ocasión lievar alforja.

GARCÉS   ¿Para qué vida me dabas
si me habías de dar muerte?
¡Ah posta, posta de guardia!   3105

(Sale[n] DON JUAN DE MENDOZA y SOLDADOS.)

MENDOZA   ¿Qué voces son éstas? Abre
la puerta; que Garcés llama,
a quien yo vengo a buscar.
¿Qué es esto?

(Quita DON ÁLVARO la espada a un SOLDADO.)

                                        Suelta esta espada.

DON ÁLVARO   Señor don Juan de Mendoza,   3110
yo soy, si el verme os espanta,

3109 *Suelta esta espada:* VT atribuye a don Álvaro estas palabras, tal vez dichas al soldado al quitársela. Resulta más convincente la lectura de TA, que las atribuye a don Juan de Mendoza al entrar; éste las dirige, entonces, a don Álvaro.

Tuzaní, a quien apellidan
el rayo de la Alpujarra.
A vengar vine la muerte
de una beldad soberana;   3115
que no ama quien no venga
injurias de lo que ama.
Yo en otra prisión a vos
os busqué, donde las armas
iguales los dos medimos,   3120
cuerpo a cuerpo y cara a cara.
Si en esta prisión venís
a buscarme vos, bastaba
venir solo, pues que sois
quien sois; que esto sólo basta.   3125
Pero si es que habéis venido
acaso, nobles desgracias
defiendan los hombres nobles:
hacedme esa puerta franca.

MENDOZA   Yo me holgara, Tuzaní,   3130
que en ocasión tan extraña
con reputación pudiera
guardaros yo las espaldas;
mas ya veis que hacer no puedo
al servicio del rey falta,   3135
y es su servicio mataros
cuando en su ejército os hallan.
Y así, he de ser el primero
que os mate.

DON ÁLVARO   No importa nada
que la puerta me cerréis,   3140
que yo la haré a cuchilladas...

(Acuchíllanse.)

3127 *acaso:* 'por azar', 'fortuitamente'.

3141 *que yo la haré a cuchilladas:* el sentido literal de este verso no está del todo claro, y la variante que ofrece TA («que yo lo haré a cuchilladas») no resuelve el problema. Tal vez haya que enmendar: «que la abriré a cuchilladas».

UN SOLDADO	Muerto soy. *(Dentro.)*
OTRO	De los abismos
	es Furia que se desata.
DON ÁLVARO	Ahora veréis que soy
	el Tuzaní, a quien la fama 3145
	apellidará en sus triunfos
	el vengador de su dama.

(Huyen los SOLDADOS.*)*

MENDOZA	Primero verás tu muerte.
ALCUZCUZ	Pregunto: el de mala cara,
	¿es ley morir?

(Salen DON JUAN DE AUSTRIA, DON LOPE *y* SOLDADOS.*)*

DON LOPE	¿Qué es aquesto? 3150
	¿Quién este alboroto causa?
DON JUAN	Don Juan, ¿qué es esto?
MENDOZA	Es, señor,
	una cosa bien extraña.
	Es un morisco que viene
	solo desde la Alpujarra 3155
	a matar un hombre, que
	dice que mató a su dama
	en el saco de Galera,
	y le ha muerto a puñaladas.
DON LOPE	¿Tu dama había muerto?
DON ÁLVARO	Sí. 3160
DON LOPE	Bien hiciste. Señor, manda
	dejarle; que este delito
	más es digno de alabanza

3143 *Furia:* en la mitología, cada una de las tres deidades vengadoras. La equipación no es fortuita: como dirá el propio Tuzaní unos versos más abajo, él podría ser por antonomasia «el vengador de su dama».

3163-3164 *más es digno de alabanza / que de castigo:* según Pérez de Hita, don Lope no se limitó a alabar la valentía del Tuzaní, sino que le invitó incluso a

	que de castigo; que tú	
	mataras a quien matara	3165
	a tu dama, vive Dios,	
	o no fueras don Juan de Austria.	
MENDOZA	Mira que es el Tuzaní,	
	y que será de importancia	
	prenderle.	
DON JUAN	Date a prisión.	3170
DON ÁLVARO	Aunque tu valor lo manda,	
	no estoy de ese parecer,	
	y por tu respeto basta	
	que la defensa que intento	
	sea volverte la espalda. *(Vase.)*	3175
DON JUAN	Seguidle todos, seguidle.	

(Éntranse todos siguiendo a DON ÁLVARO, *y en un muro que habrá en lo alto, sale[n]* DOÑA ISABEL *y* SOLDADOS MORISCOS.)

| DOÑA ISABEL | Haz con esa seña blanca | |
| | llamada al campo cristiano. | |

(Sale DON ÁLVARO.)

DON ÁLVARO	Entre picas y alabardas	
	he rompido, hasta llegar	3180
	a los pies desta montaña.	
UN [SOLD.]	Antes que entre en la espesura, *(Dentro.)*	
	un mosquete le dispara.	

(Salen los SOLDADOS *siguiéndole.)*

---

militar bajo sus banderas, por lo que «de allí adelante el Tuzaní se llamó Fernando de Figueroa y anduvo siempre en compañía de Don Lope, hallándose en la Naval, en la de Mastrique y en todas aquellas ocasiones en que se halló su Capitán, no dejándole hasta que murió en Monzón» (pág. 339). La admiración que expresa aquí el maestre de campo es la única huella que ha dejado este desenlace en la comedia.

DON ÁLVARO	Todos sois pocos: cercadme.
UN [SOLD.]	Al valle subid.
DOÑA ISABEL	Aguarda. 3185
	¡Tuzaní, señor!
DON ÁLVARO	Lidora,
	toda esa gente, esas armas
	tras mí vienen.
DOÑA ISABEL	Pues no temas.
DON JUAN	Tronco a tronco y rama a rama *(Dentro.)*
	talad el campo hasta hallarle. 3190

[Sale DON JUAN DE AUSTRIA.]

DOÑA ISABEL	Generoso don Juan de Austria,
	hijo del águila hermosa
	que al sol mira cara a cara,
	todo ese monte que ves
	rebelde a tus esperanzas, 3195
	una mujer, si la escuchas,
	viene a poner a tus plantas.
	Doña Isabel Tuzaní
	soy, que aquí tiranizada
	viví, morisca en la voz 3200
	y católica en el alma.
	Mujer soy de Abenhumeya,
	cuya muerte desdichada
	ensangrentó su corona

3185 *Al valle subid:* Hartzenbusch, seguido por Valbuena Briones y Ruiz Lagos, atribuye estas palabras a «un morisco», sin base alguna en los textos del siglo XVII, que lo atribuyen al soldado cristiano identificado como «uno». Hartzenbusch enmienda además: *A Berja subid,* sin duda por considerar incongruente la noción de «subir al valle», que, no obstante, figura en todas las ediciones antiguas.

3191 *Generoso:* 'el hombre ilustre, nacido de padres muy nobles, y de clara estirpe, conocida por el árbol de su descendencia' *(Cov.).*

3192 *hijo del águila:* hijo de Carlos V, identificado una vez más con el símbolo heráldico de la Casa de Austria.

3200 *morisca en la voz:* Ruiz Lagos defiende con ímpetu la lectura de TA («ajustada en la voz»), pero, a mi juicio, la antítesis con «católica» exige la lectura de VT.

con su sangre y con sus armas;   3205
porque viendo los moriscos
que general perdón dabas,
trataron rendirse: tal
es de un vulgo la inconstancia,
que los designios de hoy   3210
intentan borrar mañana.
Y viendo que Abenhumeya
con valor les afeaba
su cobardía, al entrar
la compañía de guardia,   3215
su capitán le tomó
las puertas, y hasta la sala
del dosel entró, diciendo:
—¡Date por el rey de España!,
diciendo a voces la gente: 3220
—¡Viva el sacro nombre de Austria!
—¿Prenderme a mí?, dijo entonces,
y al ir a empuñar la espada,
un soldado en la cabeza
empleó la partesana;   3225
que como de la corona
pensó vivir adornada,
fue capaz sujeto a un tiempo
de la dicha y la desgracia.
Cayó en la tierra, y cayeron   3230
con él tantas esperanzas

3213 *les afeaba:* adopto la enmienda de Hartzenbusch, ya que ni VT («los avivaba») ni TA («les avisaba») ofrecen una lectura satisfactoria.

3220-3221 *diciendo a voces la gente: / —¡Viva el sacro nombre de Austria!:* tanto en VT como en TA, estos dos versos figuran después del v. 3235 («pudo titubear España»), lo cual parece carecer de sentido. Hartzenbusch, seguido por Valbuena Briones y Ruiz Lagos, los recoloca después del v. 3223 («y al ir a empuñar la espada»). A mi juicio, es más coherente la solución que propongo aquí; además es fácil imaginar que en algún momento de la transmisión textual se produjera una confusión entre los vv. 3219 y 3235, ambos terminados en «España».

3227 *pensó:* adopto la lectura de TA. VT da «juzgó». Véase la nota al verso 716.

                     como suspenso tenían
                     el mundo con sus hazañas;
                     que al amago antes que al golpe,
                     pudo titubear España.   3235
                     Si el venir, señor, adonde,
                     puesta a tus heroicas plantas
                     del valiente Abenhumeya
                     la corona en su Granada,
                     te merece un perdón, puesto   3240
                     que hoy a los demás alcanza,
                     goce de su indulto el noble
                     Tuzaní; que yo postrada
                     a tus pies, más que el ser reina
                     estimara el ser tu esclava.   3245
DON JUAN   Poco has pedido en albricias:
                     hermosa Isabel, levanta.
                     Viva el Tuzaní, quedando
                     la más amorosa hazaña
                     del mundo escrita en los bronces   3250
                     del olvido y de la fama.
DON ÁLVARO   Dame tus pies.
ALCUZCUZ   Y mé ¿estar
                     perdonado?
DON JUAN   Sí.
DON ÁLVARO   Aquí acaba
                     Amar después de la muerte
                     y el sitio de la Alpujarra.   3255

_____

3232 *tenían:* adopto la enmienda de Hartzenbusch. VT da «tenía».

3250-3251 *los bronces / del olvido y de la fama:* los «bronces de la fama» son
los bustos de bronce que se hacen de los grandes de la tierra. Extraña la expresión «bronces del olvido», diametralmente opuesta al tópico retórico; pero figura en todas las ediciones del texto.

3254 *Amar:* es llamativa la variante de TA, «Amor».

Lista de variantes

Esta lista recoge las variantes textuales de VT y TA rechazadas para esta edición. De las principales ediciones posteriores, sólo se recogen las variantes no apoyadas por los textos del siglo XVII, entendiéndolas como propuestas de enmienda, aunque en algunos casos debe tratarse de meras erratas. No se recogen variantes meramente ortográficas, ni tampoco las variantes fonéticas que abundan en los textos de Alcuzcuz. No se ha modernizado la ortografía original.

2	*Xa el portas estar cerradas,* TA.
13	*Me pensar xaçer hastillas,* TA.
18	*su mísera ley esquiva,* H.
26-27	*que hazelde Tarife Muça / quando dalde caperuça,* TA.
28	*al Españolilio antigua,* VT.
36	*oy tantos Moriscos, viene,* TA
38	*CADI,* VT (locutor).
41	*quien no ha llamado en xalma,* TA.
44	*diçiendo, que á verme solo,* TA.
45	*vinistes,* TA.
48	*El abril del porta temo,* VT, TA.
49	*que ha de darmele en estaca,* TA; *que ha de darme en la estaca,* RL.
52	*que á barriga de Alcuzcuz,* TA.
61	*oy os vengo buscando: basta,* TA.
67	*que reprender? —Qué nos mandas?,* H; *que reprender? — Qué mandas?,* RL.
68	*Reportaos todos, cobraos,* TA.

306	*Que aunque a las leyes del duelo*, TA.
315	*ni agravio ofende, ni afrenta*, TA.
316	*De uno, y otro me aprovecho*, TA.
318	*y es, dezir que me entré aqui*, VT, TA.
325	*dió muerte el ofendido*, TA.
336	*A aquesto, Clara, he venido*, TA.
343	*acuerdo darme; pues*, TA.
356	*que solo dar a entender*, VT.
362-363	*no quiero yo que de ti, / murmurando el mundo, argu-* *ya*, H, VB, RL.
369	*justamente lo dudé*, TA.
377	*Yo lo excuso por quererte*, TA.
378	*Esto, Clara, no es temerte?*, TA.
390	Este verso sólo figura en VT.
394	*Retirate á esse aposento*, TA.
405	*Acepto*, TA.
412	*a mi a hazer las amistades*, TA.
419	*ni Tribunal de Iusticia*, TA.
420	*todos los somos alli*, TA(B).
427	*que se cura con remedios!*, TA.
431	*D. Iuan de Malec, pues*, TA.
443	*vengarse la ofensa clara*, TA.
444	*pues auiendo vn tiempo sido*, VT.
447	*como su hijo ofendido*, TA.
448	*y en no teniendo de quien*, TA.
457	*un hombre a si, ha sido sabio*, TA.
466	*Esto está bien a los dos*, TA.
481	*dirán me estaua llamando*, TA.
485	*te deba satisfazer*, TA.
501	*mientras se empieza el motin*, TA.
502	*Todo, enfin tendrá buen fin*, TA.
505	*se ha retirado a escriuir*, TA.
516	*que a un tiempo con un intento*, TA.
527	*Pondrán serlo*, TA.
534	*pues el agravio a tu padre*, TA(B).
546-547	*Clara, en tu darle la mano / y en tu no ser su muger?*, TA.
549-550	*para traerle a mis braços, / donde le he de hazer peda-* *ços*, TA.
557	*pero antes (que aunque sea*, TA(B).

842	*En casa entra gente,* TA.
847	*Los dos oid,* TA.
871	*De los valores altivos,* TA(M).
872	*De los Tuzanies valientes,* TA.
884-885	*que de abortados rayos dura esfera, / despiden con escandalo tus senos,* TA.
888	*pasada,* H, VB, RL.
893	*mi fama,* H, VB, RL.
899	*y assi, encargué a los tiempos mi memoria,* TA.
900	*que la llamo castigo y no vitoria,* VT.
901-928	[DON JUAN] *Saber deseo el origen deste ardiente / fiero motin.* MENDOZA *Pues oye atentamente,* VT.
916	*porque tendida a tu valor se vea,* VB, RL.
921	*no porque vassallos rebelados,* TA(M).
925	*y todo lo son, y a todo soy testigo,* TA.
926	*y añadir ser domestico enemigo,* TA.
928	*rebelin,* TA.
931	*Austrial,* TA.
945-946	*mas de cincuenta que añaden / la distancia de las quexas,* TA.
955	*parecen ricos nacidos,* TA(B).
956	*con la voz entre las peñas,* TA; *cóncavos entre las breñas,* H, VB, RL.
960	*son Verja, Gauia y Galeca,* TA(B).
961	*que oy los demás goviernan,* TA.
971	*y de plantas que cultivan,* TA.
975	*que en la agricultura tiene,* TA.
976	*del estudio, tal destreza,* H, VB, RL.
977	*que aprendizes de su açada,* TA.
979	*la causa del rebelin,* TA.
988-989	*que decir esto me es fuerza / si uno ha de tener la culpa,* H, VB, RL.
993	*que a Valor el otro dia,* TA.
996	*quito,* TA(B).
998	*daga, que estuvo encubierta,* TA.
1011	*tanto numero de gente,* TA.
1025	*de essos peñascos frisaban,* TA.
1037	*Quiso acudir al remedio / la justicia, pero apenas / la vió la Alpuxarra, quando,* TA

1044	*la Ciudad al daño intenta,* TA(B)
1048	*tanta novedad perplexa,* TA.
1081	*con Don Fernando Valor,* TA.
1089	*de traerte a la memoria,* TA.
1091	*que yá que no se hizo Rey,* TA.
1093	*Coronado, pues Valor,* TA.
1117	*tan regularmente docta,* TA.
1124	*la alta, y él se quedó en Berga,* TA(B).
1125	*viuica,* TA(M).
1133-1158	Estos versos sólo figuran en TA.
1144	*ad vierats,* TA(B).
1157	*que de peñascos preñadas,* TA; *que de peñascos preña-da,* VB, RL.
1177	*coronistas de su nombre,* TA.
1179	TA pone este verso en boca de don Juan de Austria.
1189	*a vencer, sin ser vencido,* TA.
1190	*Aquesta que aora llega,* TA.
1215	*pues vos a Flandes no os vais,* TA.
1237	*voto a Dios!,* TA.
1240	*se está en Flandés,* TA.
1241	*alcuzcuz, a esparto olalde,* TA.
1245	*O como premia sin costa,* TA.
1255	*saber latrina Cristiana,* TA(B).
1261	*yo querer huyendo el dalde,* TA.
1263	*si me dais el vida, yo,* TA.
1265	*llevaros, donde entreis,* TA.
1266	*sin ninguna resistencia,* TA.
1268	*yá bien puede ser que sea,* TA.
1287	*que nos dán honor ganadas,* TA.
1306	*que él a sugetarnos venga,* TA.
1315-1317	*Engamifa, a este Christiano / he de hazerle darle buel-ta / al Alpuxarra,* TA.
1319	*que en este cuerpo de guarda,* TA.
1332	*deste,* TA.
1344	*á cuya altitud bizarra,* TA.
1346	*le coronen solamente,* TA; *dé corona solamente,* H.
1353	*mi repitida tristeza,* TA(M).
1381-1382	Estos versos faltan en TA.

1391-1392	*Pues quando mi casamiento / a tratar mi padre vie-ne?*, TA.
1393-1394	*Pues quando dichas previene / amor a mi amor aten-to?*, TA.
1404	*Quien fue tan feliz?*, TA.
1411	*A donde está?*, TA, atribuyendo estas palabras a Doña Clara.
1413	*Y vfano*, TA.
1414	*Mil brazos tomad*, H.
1419	*dos, dele á Maleca diuina*, VT; DOS *De a Maleca di-vina*, TA.
1429	*que aun de diamante Cupido*, TA.
1433	*que las llorava el aurora*, TA.
1442-1443	*pues mi fortuna ha parado / estas memorias*, H.
1457	*formen con eternos lazos*, VT, TA.
1458	*Yo soy feliz?*, TA.
1466	*no vedad*, TA(B).
1467	*al Sol*, TA.
1477-1478	*lua poxta / llego, aunque a que por la posta*, TA(B): *lua poxta / llegó, aunque a que por la posta*, TA(M).
1480	*aun*, TA(B).
1481	*el Christianilio fingido*, TA.
1490	*de camaradas esconde*, TA.
1497	*fue por el monte*, TA.
1498	*sin cativo o sin comer*, H.
1505	*a quien decir que acompaña*, H, VB, RL.
1536	*y a la ocasion advertidos*, TA.
1543	*en Versa*, TA(B).
1546	*es*, TA.
1553	*son mias*, TA.
1566	*abortos*, TA.
1571	*otro*, TA.
1575	*toca*, H, VB.
1576	*moristes*, TA.
1577	*maravilla fuistes*, TA; *maravillas fuisteis*, H.
1591-1592	*quando a mi aliuio acudis, / en la prisa con que os vais*, VT. En TA, falta el verso 1592.
1603	*hallarse*, TA.
1636	*en el muro*, TA.

1647	*Xarifilia, esse recado,* TA.
1648	*alforjo,* TA.
1663	*que pueden darte la muerte,* VT, TA.
1668	*pues Zara decir que ser / siempre saber de vonenos,* VT; *pues cara dezer que ser, / siempre saber de venenos,* TA; *siempre e saber de venenos,* VB, RL.
1671	*que cara no lo probó,* TA.
1680	*y yo dividisos ver,* TA.
1693	*es Gavia la alta. Aquella,* TA.
1697	*es Verxa. Galera es esta,* TA.
1699-1700	*o porque su fundacion / es así,* H, VB, RL.
1700	*es assi, ó yá que vemos,* TA.
1703	*sugeta al viento parece,* TA.
1720	*llegará,* TA(M).
1725	*digo,* TA.
1727	*entregar,* TA.
1730	*le,* TA.
1733	*le,* TA.
1736	*aun se pierde por momentos,* TA.
1742	*ó a las que dictaba el eco,* TA.
1745	*amançaban,* TA(M); *amansaban,* RL.
1762	*o bien,* H, VB, RL.
1767	*ni nada,* TA.
1769	*que para si los dé penas,* TA(B); *que para si los de penas,* TA(M).
1771	*está, y como sobre ella,* TA.
1773	*volarla, como esta boca,* VT, TA.
1775	*sin esperarla prolixo,* TA.
1776	*picarla,* TA.
1825	*Siempre te server me oblego,* TA(B).
1833	*Quien pudiera,* TA.
1837	*me dormia,* TA.
1842	*se mesmos,* TA.
1843	*otras,* TA.
1844	*mi quanto,* TA.
1847	*zapatos tal vez se hazen,* TA.
1848	*sastre,* H.
1851	*hazelde el,* TA.
1855	*calçan,* TA.

1858	*er corriendo*, TA.
1860	*esto, que estar pediendo*, TA.
1862	*pider*, TA.
1865	*en que bolverse mi amo*, TA.
1869	*ea que, que sale, é de hazer*, TA.
1875-1876	*Pues si avemos / Alcuzcuz*, TA.
1878	*ay mortes á que escoger*, TA.
1881	*es morir*, TA, que repite esta ortografía más adelante.
1882	*pues no es muete por lo menos*, TA.
1884	*estoi*, TA.
1885	*veneno*, TA, que repite esta ortografía más adelante.
1894	*pues que yá ha cien, ó efecto*, TA.
1902	*me bota*, TA(M).
1902	*entriento*, TA.
1908	*hazen las torres de fuego*, VT; *hacen de las torres fuego*, H, VB.
1919	*defender agravios*, TA.
1922	*es divertir*, TA.
1927	*mi honor*, TA.
1929	*a los dos*, TA.
1936-1937	*nos llevará. — Con mi esposo voy, / nada aventuro en esto*, TA.
1948	*tocarame*, TA.
1949	*abononado*, TA.
1952 acot.	*Va a detenerle, y se hiere la mano*, H, VB, RL. No figura acotación alguna en TA.
1953-1954	*Por detenerte la mano, / me corté con el azero*, TA.
1957-1958	*Que? / no podrá esse juramento*, TA.
1960	*Aprieta en ella*, TA.
1968	*aceto*, TA.
1971	*mi vida*, TA.
1975	*que triste voy?*, TA.
1976	*Y yo, que afligida quedo?*, TA.
1983	*alma Christiana*, TA.
1984	*no te estorva*, TA.
1991	VB y RL ponen un punto al final de este verso.
1993	*pues en ti, a pesar de tu estrella*, TA.
1994	*maleza bella*, TA.

2146	*LADIN,* TA (interlocutor).
2151 acot.	No hay acotación en TA.
2156	*de mi azero,* VT, TA.
2166	*mieses de llamas,* TA.
2177	*Que ya no se mira nadie,* VT, TA.
2182	*rayo es que me penetra.*
2187	*apagandola,* TA.
2211	*Alcalde,* TA.
2228	*Sola vna voz (ay mi bien!),* TA; *Sólo una voz, ¡ay bien mío!,* H, VB, RL.
2236	*fueron,* TA.
2238	*morirás,* TA.
2259	*de,* VT, TA.
2280	*huviera,* TA.
2281	*huviera,* TA.
2283	*quaxas,* TA(M).
2304	*mente, lo que se ama mas, es,* TA(B); *mente, lo que se ama mas, e,* TA(M).
2315	*ira penetrante,* TA(M).
2316	*Entre el fuego, á quien no admira!,* TA.
2328	*de la mas noble venganza,* H.
2332	*verdad difunta,* TA.
2333	*troncada,* TA.
2344	*despeñando,* VT, TA.
2348	*y pues se van retirando,* H; este verso falta en TA.
2352	*y vengue,* TA.
2364	*en un Christiano pecho,* TA.
2375	*que esse rustico omenage,* TA.
2376	*caiga en torres a la tierra,* TA.
2387	*caducos,* TA.
2392-2393	*y que en su propria ceniza / es el Fenix y la hoguera,* H, VB, RL.
2394	*Ya que del ardiente esfera,* H.
2397	*a donde verás, y ciego,* TA.
2408	*Venumeya,* TA.
2424	Falta este verso en TA, dejando la décima incompleta.
2426	*su muerte de tu rigor,* TA(B); *su muerte dé tu rigor,* TA(M).

2435	*castigo, y perdon si me obligo,* TA.
2436	Falta este verso en TA, dejando la décima incompleta.
2453	*en sus oficios,* H, VB, RL.
2466	*Diganlo el alegria,* TA.
2479	*Buena es, y no es escusa,* TA.
2482	*enseñaos,* VT, TA.
2487	*quiero en empresa que sigo,* TA.
2489	*fias,* TA.
2497	*Y ya, aunque yo no quiera,* TA.
2501	*bien la he conocido, es,* H, VB, RL.
2509	*é quedado,* TA(M).
2514	*Menos,* TA.
2515	*a ver,* TA.
2518	*Escuchar te lo diré,* TA.
2530	*Tu, que vienes lengua hablar,* TA.
2536	*trage no vsados,* TA.
2537	*excusar,* H.
2541	*He si,* TA.
2542	*de mi algo? —responder,* TA.
2547	*blador,* TA.
2550	*aviseis,* TA.
2553	*vno solo amar intento,* TA.
2557	*para admiracion,* TA.
2564	*pero yá,* TA.
2570	*porque valor no ha segura,* TA.
2574	*está segura,* H, VB, RL.
2578	*otro ha sido, otro ha sido,* TA.
2580	*ser esso que aver venido?,* TA.
2589	*que andar vestido aprieto,* VB.
2594-2595	*La ganancia está perdida, / bien assi, pues el que juega,* TA.
2597	*ribote,* TA(B).
2600	Soldado 3.º, H, VB, RL (locutor).
2601	Soldado 1.º, H, VB, RL (locutor).
2607	Soldado 2.º, H, VB, RL (locutor).
2608	*soldado — A me dezer,* TA.
2609	*he,* TA.
2610	Soldado 2.º, H, VB, RL (locutor).

2611	*SOLDADO 3.º*, H, VB, RL (locutor).
2613	Falta este verso en TA.
2614	*divertirle importa; señores*, TA.
2619	*mas ser en ocasion como esta*, TA.
2620	*pique, y repique, y capote*, TA.
2622	*SOLDADO 2.º*, H, VB, RL (locutor).
2633	*vá*, TA.
2638	*gane*, TA(B).
2639	*dice él que no quiere prendas*, H, VB, RL.
2649	*ttaxo*, TA(B).
2650	*seguro*, VT, TA.
2656	*Que mejor que no matar*, TA.
2658	*lo*, VT, TA.
2660	*que entre joyas que quitado*, TA.
2668-2669	En TA estas palabras se atribuyen al soldado «3».
2672	*Si estoy solo*, VT.
2680	*Qué esto?*, TA(B).
2685	*venga*, TA(M).
2687	*miré*, TA(M).
2703	*Presos aquestos dos vengan*, TA.
2706	*é a ser*, TA.
2712	*en que huvo vn hombre muerto*, TA.
2734	*(ay amor que neciamente*, TA.
2752	*quereis*, VT, TA.
2758	*Phelipo*, TA.
2760	*mede despidió*, TA.
2770	*asiento*, H, VB, RL.
2781	*marche todo el campo a Verja*, TA.
2783	*primeros*, TA(M).
2787	*he*, TA.
2789	*Torini*, TA.
2790	*ya que Alpojarra dejar*, H, VB, RL.
2791	*aquesta terra venir?*, TA.
2792	*si fue a matar? fue a morir?*, TA.
2794	*quien poner en paz pendencia*, H, VB, RL.
2799-2800	*mil, puesto en defensa, presto / me dexáran*, VT; *contra mil puesto en defensa, / no me dexará*, TA.
2810	*pensando*, TA.
2813	*Pues qué pensamos hazer?*, TA.

2814-2817	*Con un puñal ... he traido:* tanto en VT como en TA, esta redondilla figura después del verso 2821.
2819	*quedo,* TA.
2821	*la ropilla,* TA.
2824	*Llega, rompe, desenlaza,* TA.
2831	*con vn criado suyo mudo,* TA.
2834	*esfuerça,* TA.
2837	*en una parte me es fuerça,* TA.
2843	*dexid,* TA.
2844	*quedó,* TA(M).
2853	*al descuido, y vér quien sea,* TA.
2864	*guararele el cara yo,* TA.
2866	*sin conocer,* TA.
2868	*vuestra esposa,* TA.
2870	*de esta suerte, y si pudiera,* TA.
2875	*pendencia ser?,* H.
2882	*la vida daré,* TA.
2895	*los complices, no aviendo mas,* TA.
2896	*de vna herida, y no siendo,* TA.
2899	*muera,* TA.
2904	*está,* TA.
2905	*peor cara,* TA.
2907	*hazeis,* TA.
2912	*ha,* TA.
2919	*dél como se llama. —no lo sé,* TA.
2920	*Y con que tercio llegó?,* TA.
2926	*saberlo,* TA(M).
2930	*no os de,* TA(M).
2945	*hizistes,* TA.
2949	*vigor,* TA.
2971	*colocaron,* TA.
2981	*guarda,* TA.
2983	*mantuvo,* TA.
2984	*a la otra gente: yo en fin,* TA.
2985	*fui, quien ponerme en las llamas,* TA.
3000	*de Maleca,* TA.
3002	*al palacio,* VT, TA.
3003	*su Alteza,* TA.

3010	*junto*, TA(B).
3016	*vltimo retrato*, TA.
3020	*tiempo de pintaros*, TA.
3034	*Dezis la verdad*, TA.
3054	*llaga a los braços*, TA.
3059	*mil discursos*, TA.
3065	*de su vida, de su fama*, TA.
3072	*trocado*, TA.
3075	*en otro*, TA.
3081	*de diamantes, vna sarta*, TA.
3083	*a vn cielo*, TA.
3095	*Ay que me coge sin armas*, TA.
3100	*Yo ser perro Christiano*, TA.
3102	*alforjas*, TA.
3105	*aposta, aposta de guarda?*, TA.
3109 acot.	No hay acotación en TA.
3114	*a vengar la muerte vine*, TA.
3126	*y si acaso aveis venido*, TA.
3135	*al servicio del Rey, basta*, TA.
3137	*halla*, TA.
3140	*me tomeis*, TA.
3141	*lo haré*, TA.
3143	*furia es que se desata*, TA.
3144-3145	*Aora vereis quien soy, / el Tuzani*, TA(B).
3149	*Peguete el de mala cara!*, TA.
3150	*aquello*, TA.
3151	Falta este verso en TA.
3152	*DON IUAN: Que es esto?*, TA.
3157	*mato*, TA(B).
3160	*Su*, TA.
3165	*matarás*, TA(M).
3171	*su*, TA.
3184	*A Berja subid*, H.
3197	*ponerle*, H.
3200	*vivi ajustada en la voz*, TA.
3207	*perdonavas*, TA.
3213	*los avivaba*, VT; *les avisaba*, TA.
3214	*de entrar*, TA.
3215	*de guarda*, TA.

3220-3221	En VT y TA, estos versos figuran después de nuestro verso 3235; en H, después de nuestro verso 3223.
3227	*juzgó vivir adornada,* VT.
3232	*tenia,* VT, TA.
3235	*por titubear a España,* TA.
3239	*la corona ensangrentada,* H, VB.
3244	*ser Rey,* TA.
3245	*estimara ser tu esclava,* H, VB, RL.
3254	*Amor despues de la muerte,* TA.